la couleur
et le peintre

la couleur
et le peintre

José M.ª Parramón

Collection «Pratique du dessin et de la peinture»
publiée sous la direction de Marc A. Dumas
pour l'édition française

Bordas

Titre original de l'ouvrage: «Así se pinta»
© José María Parramón Vilasaló. Barcelona, 1970.

© Bordas, Paris, 1970 pour la traduction française.
N.º 093 179 10 12
ISBN : 2-04-009659-0.

La couverture de ce livre a été réalisée
par Francesc Serra

Imprimé en Espagne par
Printer industria gráfica sa   Provenza, 388   Barcelona-25
Dépôt Légal : B. 32233-1979
Numéro d'Éditeur : 785

TABLE DES MATIÈRES

La collection que nous présentons offre de larges possibilités d'initiation et de formation. Elle s'adresse à tous ceux qui, individuellement ou en communauté, découvrent les voies de la création artistique. «Genèses exquises», disait Valéry, non plus aujourd'hui réservées à une élite choisie, mais accessibles à tous ceux que l'effort créateur vivifie et exalte.

Guidé pas à pas, l'amateur solitaire ou l'animateur trouvera une réponse aux problèmes de technique qu'une réflexion créative ne manque pas de susciter.

Ces ouvrages mettent à la disposition du public la palette la plus complète possible des différents moyens d'expression, décrivant l'outillage, exposant la technique, démontrant étape par étape les phases de la création et de l'exécution.

Les ouvrages consacrés à l'initiation aux techniques ont été rédigés le plus souvent sous la forme d'un cours direct. Chaque leçon se déroule d'une façon active. La théorie est suivie d'exercices pratiques expliqués, détaillés, aux difficultés progressives.

De nombreuses illustrations permettent spontanément de voir et de mieux comprendre l'évolution de la technique artistique. Des anecdotes apportent un délassement nécessaire tout en enrichissant les connaissances générales.

Un résumé des idées forces, des lois essentielles, termine souvent les chapitres-clés pour permettre une meilleure assimilation.

Puisse cette collection simplifier votre tâche dans la connaissance ou la pratique de votre choix.

Marc A. DUMAS

Premier chapitre

UNE EXPÉRIENCE EXTRAORDINAIRE

COULEURS - LUMIÈRE
COULEURS - PIGMENT
THÉORIE DES COULEURS

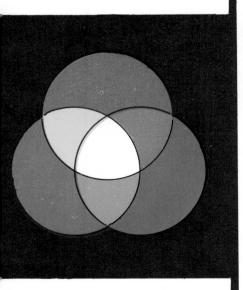

J'éteins la lumière de la salle. J'avance dans l'obscurité. J'étends la main et la pose à tâtons sur la boîte métallique d'un projecteur de diapositives photographiques.

Dans la salle où je me trouve, il y a trois projecteurs. Au fond, un drap blanc suspendu sert d'écran. Chaque projecteur comporte, entre l'ampoule et la lentille, un filtre ou des verres de couleur, un vert, un rouge et le troisième bleu.

Dans le noir, je cherche le bouton. J'appuie et la lumière du projecteur s'allume; un rectangle vert apparaît sur l'écran.

Jusqu'ici, tout est normal et compréhensible. J'ai mis en circuit la lanterne de couleur verte, et sur l'écran, apparaît un rectangle de lumière verte.

J'allume le deuxième projecteur. Une lumière rouge est projetée à côté de la verte.

Je déplace le projecteur rouge, pour faire coïncider les deux faisceaux de lumière et superposer le rouge sur le vert, et un carré jaune, brillant et lumineux, apparaît.

JAUNE! Vous saisissez? Jaune! N'importe quel amateur de peinture, si peu expérimenté soit-il, sait que le vert mélangé au rouge donne du marron, un marron foncé, une sorte de couleur chocolat; mais... jaune?

J'allume le troisième projecteur et, sur l'écran, à côté de cet étrange jaune, apparaît un nouveau carré, mais bleu, provenant de la lanterne au filtre bleu.

Il reste maintenant la fin, l'incompréhensible: projeter cette lumière bleue sur la jaune et je dirige le carré bleu, jusqu'à ce qu'il vienne par-dessus le jaune; et du mélange du rouge, du vert et du bleu, jaillit un carré de LUMIÈRE BLANCHE.

J'ai alors l'impression que mon expérience de peintre ne compte plus. J'ai envie de montrer à quelqu'un ce phénomène surprenant, pour moi, pour un peintre qui voulut voir pour croire, et vérifier de ses propres yeux l'étrange théorie de Young, ce célèbre physicien anglais qui avait déjà consigné au siècle dernier:

Trois faisceaux de lumière, un bleu foncé, un autre rouge vif et un autre vert vif, superposés l'un au-dessus de l'autre, donnent une lumière blanche, claire et brillante, c'est-à-dire qu'ils recomposent la lumière elle-même.

THÉORIE DES COULEURS
LA COULEUR EST LA LUMIÈRE, LA LUMIÈRE EST LA COULEUR

Un après-midi d'été. Vous êtes à la campagne. La terre est humide, il a plu et par un curieux paradoxe, le soleil continue à briller vers l'Ouest. Alors, dans l'immense ciel bleu, d'un bleu outremer limpide et rayonnant, apparaît un fantastique arc de couleurs : l'arc-en-ciel.

Là-bas, au loin, il continue à pleuvoir. Il en résulte —vous le savez déjà— que ces petites gouttes de pluie se comportent comme des millions de prismes de verre, lorsqu'elles reçoivent les rayons du soleil ; elles décomposent cette lumière en six couleurs, celles de l'arc-en-ciel.

Il y a plus de deux cents ans, Newton reproduisit ce même phénomène de l'arc-en-ciel, dans une pièce de sa maison. Pour cela, il s'enferma dans l'obscurité complète, laissant seulement passer, par un trou minuscule, un petit filet de lumière, un rayon de lumière solaire ; il intercepta alors ce rayon par un prisme en verre de forme triangulaire et réussit à décomposer la lumière blanche dans les couleurs du *spectre :*

Couleurs du spectre (1)

Pourpre
Rouge
Jaune
Vert
Bleu-cyan
Bleu foncé

(1) Nous donnons ici une version actuelle des couleurs du spectre, version qui est le résultat d'investigations récentes réalisées principalement dans le domaine de la photographie en couleur ; ces recherches ont permis d'exposer de façon plus scientifique, plus parfaite, les théories de la couleur appliquées à l'art de la peinture. L'Institut Parramón se plaît à souligner la nouveauté qu'il y a à présenter ces théories pour la première fois dans une œuvre consacrée à l'enseignement de la peinture ; il est heureux de remercier la maison Gevaert pour l'aide apportée grâce à ses informations et à ses techniques.

1

Plus tard, le physicien Young fit le contraire de Newton. Alors que ce dernier avait *décomposé* la lumière dans les six couleurs du spectre en utilisant un prisme, ainsi que nous l'avons vu, Young *recomposa* la lumière. Réalisant l'expérience des projecteurs expliquée au début de ce livre, il fit converger les six faisceaux de lumière des six couleurs du spectre et obtint la lumière blanche.

(Pour comprendre ce phénomène de physique, le fait que plusieurs couleurs vives —parfois foncées— lorsqu'elles sont mélangées, donnent une couleur plus claire, il faut se rappeler que ces couleurs sont des *couleurs-lumière*, des couleurs projetées par des faisceaux lumineux qui reproduisent les effets de la lumière elle-même. On peut donc dire que, si à une couleur-lumière on ajoute une autre couleur-lumière, le mélange qui en résulte donne une *couleur-lumière plus intense, plus claire*. Donc, logiquement, la somme de la couleur-lumière verte et de la couleur-lumière rouge doit donner une couleur-lumière plus claire : le jaune.)

Young a également démontré quelque chose de très important pour notre étude. En faisant des recherches avec ses lanternes à couleurs, il a déterminé, par élimination, que les six couleurs du spectre pouvaient être réduites à trois couleurs de base, pour le même spectre ; c'est-à-dire qu'avec seulement trois couleurs —rouge, vert et bleu foncé—, on peut recomposer la lumière blanche (fig. 2). Il remarqua qu'en mélangeant ces couleurs par deux, il obtenait les trois autres —bleu cyan, pourpre ou rouge magenta et jaune—. En somme, il a déterminé quelles sont les couleurs primaires du spectre, et quelles en sont les *secondaires*. Les voici : (fig. 3).

2

3

COULEURS-LUMIÈRE PRIMAIRES

Rouge
Vert
Bleu foncé

COULEURS-LUMIÈRE SECONDAIRES

(Obtenues en mélangeant par deux les primaires)

Lumière BLEUE + Lumière VERTE = **Bleu cyan (1)**
Lumière ROUGE + Lumière BLEUE = **Pourpre (2)**
Lumière VERTE + Lumière ROUGE = **Jaune**

Enfin, grâce à la classification précédente des couleurs du spectre, on peut établir les couleurs qui sont complémentaires de certaines autres ; on s'aperçoit que ce sont les secondaires, auxquelles il manque seulement une primaire, pour en être le complément, et recomposer la lumière blanche (ou inversement).

COULEURS-LUMIÈRE COMPLÉMENTAIRES

Le JAUNE est complémentaire du **bleu foncé**
Le BLEU CYAN est complémentaire du **rouge**
Le POURPRE est complémentaire du **vert**

(1) **Bleu cyan:** C'est la définition technique et actuelle donnée à cette couleur-lumière secondaire. Le ton du bleu cyan correspond à celui d'un bleu neutre, d'intensité moyenne.
(2) **Pourpre:** Ou rouge magenta correspond à un rouge carmin, de ton moyen.

ABSORPTION ET RÉFLEXION.

Pensez à ceci : tout ce qui vous entoure, tous les objets que vous voyez à cet instant même, reçoivent les trois couleurs-lumière primaires, bleu, rouge, vert. Certains de ces corps réfléchissent toute la lumière qu'ils reçoivent ; d'autres l'absorbent totalement ou presque, mais la majorité d'entre eux en absorbent seulement une partie et réfléchissent le reste. Pour résumer cette loi physique, les livres scientifiques disent en substance :

Tous les corps opaques, qui sont éclairés, ont la propriété de réfléchir tout, ou une partie, de la lumière qu'ils reçoivent.

On n'est pas encore parvenu à comprendre pourquoi les corps ont la couleur que nous leur voyons, *celle-là* précisément et non une autre, pourquoi par exemple une tomate est de couleur rouge. Mais on sait que lorsque cette tomate est éclairée, elle reçoit les trois couleurs-lumière primaires —le bleu, le vert et le rouge—, qu'elle absorbe les rayons bleus et verts de couleur-lumière et qu'elle réfléchit les rouges, ce qui par conséquent nous fait voir cette couleur : le rouge (fig. 4, C).

La page de ce livre, cette même page que vous êtes en train de lire maintenant, reçoit aussi ces trois couleurs-lumière invisibles, bleu, vert, rouge, et elle les renvoie comme elle les reçoit, elle les réfléchit ; et la somme des trois donne la couleur blanche de la page, du papier (fig. 4, A).

Si le corps éclairé est une bouteille d'encre de Chine noire, il arrivera tout le contraire ; les trois couleurs-lumière primaires parviendront sur cette bouteille d'encre ; mais elles seront absorbées totalement et laisseront le corps sans lumière ; ainsi il nous apparaîtra noir (B).

Si on éclaire une banane, la surface de celle-ci reçoit également les trois couleurs-lumière primaires, absorbe les rayons bleus et réfléchit les rayons verts et rouges qui, mélangés, nous permettent de voir la couleur jaune de la banane (D). Une pêche absorbera le vert, et réfléchira le rouge et le bleu, dont le mélange donnera la couleur pourpre (E).

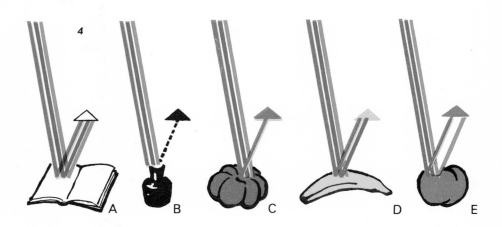

LUMIÈRE, COULEURS ET PIGMENTS

Nous entrons maintenant dans notre domaine, celui des couleurs à peindre, composées de matières colorantes ou pigments, avec lesquelles on essaie d'imiter les phénomènes de lumière et de couleur que nous venons d'expliquer. Nous allons étudier rapidement comment se comportent nos couleurs, pour que cette imitation soit possible.

Nous avons vu que la lumière, pour «peindre» les corps qui lui sont exposés, use de trois couleurs-lumière, vives et foncées; mélangées par deux, elles donnent trois autres couleurs plus claires et enfin, mélangées toutes ensembles, elles recomposent la lumière elle-même, la couleur blanche.

Mais nous ne pouvons pas, quant à nous, «peindre» avec la lumière, c'est évident. Mieux, retenez ceci :

Nous ne pouvons pas créer des couleurs claires par le mélange de couleurs foncées.

D'autre part, nous devons nous en tenir aux six couleurs du spectre, si nous voulons arriver à cette imitation des effets produits par la lumière. Que faut-il faire alors du point de vue physique? Tout simplement changer l'ordre des facteurs sans altérer le résultat; varier la primauté de certaines couleurs par rapport à d'autres, en prenant également pour base les six couleurs du spectre. C'est-à-dire que :

Nos couleurs primaires sont les secondaires-lumière, et inversement, nos secondaires sont les primaires-lumière.

Voyons maintenant la raison de cette inversion des valeurs :

SYNTHÈSE PAR ADDITION ET SYNTHÈSE PAR SOUSTRACTION.

Si peu que vous ayez peint, vous comprendrez que nos mélanges de couleurs supposent toujours que l'on *retranche de la lumière*, c'est-à-dire qu'on va toujours des couleurs claires aux couleurs foncées. Si vous peignez avec nos couleurs, et que vous mélangiez par exemple le rouge et le vert, vous obtiendrez, comme nous l'avons déjà dit, une couleur plus foncée, le marron. Et si vous mélangez les couleurs-pigment bleu cyan au pourpre et au jaune —trois couleurs évidemment lumineuses—, vous obtiendrez un noir. Tout le contraire de ce qui arrive avec le mélange des couleurs-lumière (fig. 5 et 6).

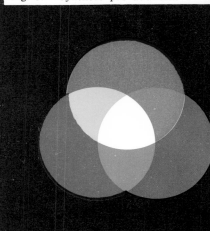

Fig. 5. — Synthèse par addition.

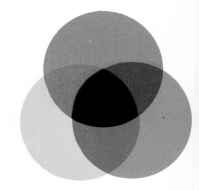

Fig. 6. — Synthèse par soustraction.

Lorsque la lumière «peint», elle additionne les rayons de lumière de différentes couleurs; elle obtient les couleurs par addition, ou synthèse par addition.

Lorsque nous peignons avec nos couleurs, nous soustrayons de la lumière et nous obtenons ces couleurs par soustraction, ou synthèse par soustraction.

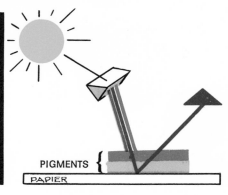

Fig. 7. **COMMENT PEINT LA LUMIÈRE.**
Synthèse par addition. — Pour obtenir la secondaire-lumière jaune, la lumière additionne la couleur rouge avec la couleur verte; celles-là mélangées, donnent une couleur (une lumière) plus claire, jaune, obtenue par une somme, ou synthèse par addition des couleurs-lumière rouge et verte.

Fig. 8. **COMMENT PEIGNENT LES PIGMENTS.**
Synthèse par soustraction. — Pour obtenir la secondaire-pigment vert, on mélange le bleu cyan et le jaune. Par rapport aux couleurs-lumière, le bleu absorbe le rouge, et le jaune absorbe le bleu. La seule qu'ils réfléchissent tous deux est le vert, obtenu par la soustraction du bleu et du rouge.

Après avoir étudié la provenance et l'origine de nos couleurs, nous connaissons la théorie, qui nous permet de transposer, sur le tableau, toute la polychromie des teintes, des tons et des couleurs qui apparaissent sur le modèle; énumérons-les, classifions-les en couleurs de base ou primaires, en secondaires, en tertiaires (fig. 9).

COULEURS-PIGMENT PRIMAIRES

Bleu cyan
Pourpre (Rouge magenta)
Jaune

Ce sont nos couleurs primaires, celles que nous ne pouvons obtenir par le mélange d'aucune autre; les *couleurs originelles* à partir desquelles, en mélangeant, nous pouvons obtenir toutes les couleurs de la nature.

COULEURS-PIGMENT SECONDAIRES

Rouge orangé
Vert
Bleu foncé

Celles-ci sont nos couleurs secondaires, de second rang, qu'on obtient, en mélangeant simplement, les primaires précédentes, suivant l'ordre exposé dans le tableau suivant:

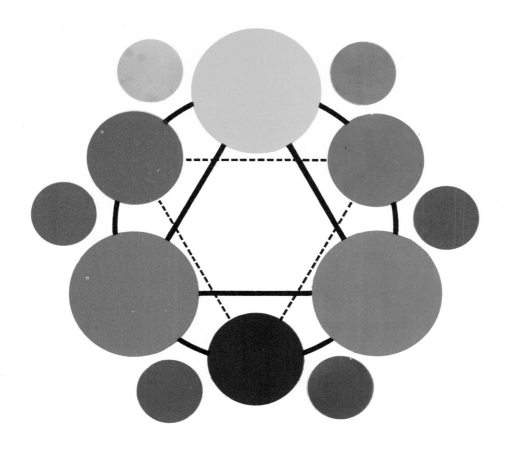

9

Ce tableau présente la classification des couleurs-pigment, à partir des trois couleurs primaires (les trois cercles de grande taille), dont le mélange donne les trois secondaires (cercles rouge, vert, bleu foncé), qui à leur tour, aboutissent aux tertiaires (cercles plus petits).

En mélangeant le BLEU CYAN et le POURPRE, on obtient le BLEU FONCÉ.
En mélangeant le POURPRE et le JAUNE, on obtient le ROUGE ORANGÉ.
En mélangeant le JAUNE et le BLEU CYAN, on obtient le VERT.

En mélangeant encore une primaire avec la secondaire la plus proche (voyez cette combinaison dans le tableau ci-joint), on obtient une série de couleurs dérivées, appelées à leur tour:

COULEURS-PIGMENT TERTIAIRES	
Vert émeraude	Violet
Bleu outremer	Carmin
Vert clair	Orange

A propos des appellations de «vert émeraude» et de «bleu outre-mer», je dois vous dire qu'elles sont de mon cru, car je trouve que ce vert se rapproche beaucoup du vert émeraude, qui a sa place sur toutes les listes de couleurs à l'huile ; et ce bleu est à peu près le bleu outremer de ces listes. Car je crois qu'il est préférable d'utiliser ces noms concrets, qui en plus vous permettent de vous familiariser avec eux plutôt que ces dénominations innombrables de «bleu clair», «bleu moyen à tendance violacée», «bleu foncé», etc.

Enfin, en mélangeant à leur tour les tertiaires avec les secondaires, on obtient une autre gamme plus foncée, celle des «quaternaires», et ainsi de suite jusqu'à parvenir à une infinité de nuances, toutes créées, ne l'oubliez pas, à partir des primaires-pigment bleu cyan, pourpre ou rouge magenta et jaune.

La combinaison est parfaite. Notre palette peut obtenir toutes les couleurs en s'adaptant au phénomène extraordinaire de la lumière. Cette coïncidence impeccable des facteurs nous donne le droit de parler aussi des

---

COULEURS-PIGMENT COMPLÉMENTAIRES

Le **BLEU FONCÉ**   est complémentaire du **JAUNE**
Le **ROUGE ORANGÉ** est complémentaire du **BLEU CYAN**
Le **VERT** .... est complémentaire du **POURPRE**
                        (et inversement)

Si on parle, de nouveau, en termes de couleurs-lumière, en additionnant le bleu foncé et le jaune —celui-ci composé, en couleurs-lumière, du vert et du rouge—, on recompose la lumière blanche.

Mais, direz-vous, lorsque nous sommes en train de peindre, à quoi peut bien nous servir toute l'histoire des «complémentaires»?

Vous avez tout à fait raison de le demander.

Vous remarquerez que, sur le précédent tableau des couleurs-pigment, les couleurs complémentaires se trouvent toujours à l'opposé de toutes les combinaisons possibles. Écoutez plutôt : bleu foncé, complémentaire du jaune (ou inversement, ne l'oubliez pas, on peut dire la même chose «jaune, complémentaire du bleu foncé»); rouge, complémentaire du bleu cyan. Peut-être est-ce précisément parce qu'elles sont complémentaires qu'elles sont si peu proches, si opposées même. Ce qui, lorsque nous peignons a aussi ses avantages : cela offre au peintre la possibilité de créer d'extraordinaires contrastes, de peindre des ombres étonnamment lumineuses, d'obtenir des fonds. Mais nous en sommes seulement à la première partie de ce que vous devez apprendre pour peindre comme un véritable expert. Avez-vous bien saisi tout ce qui vient d'être expliqué dans cette première partie?

THÉORIE DE LA COULEUR. - RÉSUMÉ

— La lumière blanche est la somme des couleurs du spectre.

— Les couleurs de base du spectre sont les couleurs primaires-lumière: bleu, vert et rouge.

— En mélangeant les couleurs primaires-lumière deux à deux, on obtient trois couleurs de ton plus clair: les secondaires-lumière: bleu cyan, pourpre et jaune.

— Le mélange des couleurs primaires-lumière, (bleu, vert et rouge) donne le blanc de la lumière elle-même.

— Les corps ont la propriété de réfléchir tout, ou une partie, de la lumière qu'ils reçoivent.

— La lumière colore les corps grâce à la synthèse par addition (la somme des couleurs-lumière) des primaires bleu, vert et rouge.

— Notre système est l'inverse de celui qu'emploie la lumière. L'artiste utilise en premier lieu des couleurs plus claires, dont le mélange suppose toujours qu'on soustraie de la lumière —synthèse par soustraction—. En mélangeant ses couleurs-pigment primaires, l'artiste obtient la couleur noire, c'est-à-dire le contraire ou la soustraction totale des primaires-lumière.

— Pourtant, à la base, la lumière et l'artiste «peignent» avec les mêmes couleurs: celle du spectre.

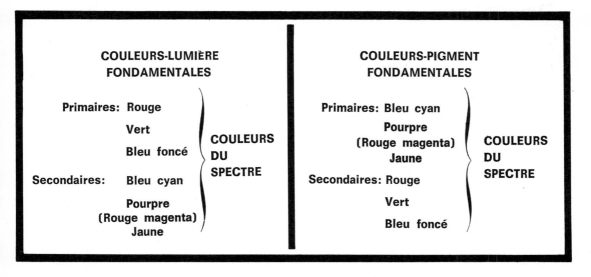

COULEURS-LUMIÈRE
FONDAMENTALES

Primaires: Rouge
Vert
Bleu foncé

} COULEURS DU SPECTRE

Secondaires: Bleu cyan
Pourpre
(Rouge magenta)
Jaune

COULEURS-PIGMENT
FONDAMENTALES

Primaires: Bleu cyan
Pourpre
(Rouge magenta)
Jaune

} COULEURS DU SPECTRE

Secondaires: Rouge
Vert
Bleu foncé

— Cette parfaite coïncidence permet à l'artiste d'imiter les effets de la lumière éclairant les corps, et de reproduire, avec une remarquable fidélité, toutes les couleurs de la nature.

DE LA THÉORIE A LA PRATIQUE

Assez de couleurs-lumière, de synthèses par addition, et de spectres!
Je veux peindre!

DE QUELLE COULEUR EST-CE?

* * *

Oui, c'est ici. Les arbres, la maison au fond... Quelle heure est-il?

* * *

Vous êtes passé un jour par là, et vous avez regardé ce lieu comme s'il était déjà placé dans son cadre. Vous avez vu le chemin, les arbres des deux côtés, hauts, sveltes, touffus; l'ombre des arbres sur le chemin; une partie de la demeure se découpant sur le mont vert-bleu, immense, diffus, lointain.

Vous vous êtes arrêté. «On dirait un Sisley» vous êtes-vous dit. «Il faut que je vienne par ici avec mon chevalet». Puis vous vous êtes assis, et avez longuement regardé. Vous avez consulté votre montre, cherché le soleil, vous êtes revenu au vert des arbres, à la couleur que le temps a donnée à la maison. Vous avez commencé à vous demander : «De quelle couleur est-elle?

* * *

D'abord quelques lignes au fusain, simplement pour situer les masses, les contours, le cadrage.

Puis vous disposez les couleurs sur votre palette et vous peignez, bien sûr, à l'huile : blanc de titane, jaune citron, jaune de cadmium clair, jaune de cadmium foncé et bleu outremer foncé.

Vous regardez le ciel. Vous vous souvenez parfaitement avoir lu que Sisley, le grand peintre impressionniste, commençait toujours ses fameux paysages par le ciel. Vous regardez le ciel et l'inévitable question jaillit :
«De quelle couleur est-il?»

Bleu, oui ; bleu ciel, mais... —vous avez déjà votre petite expérience de ce mécanisme: voir, mélanger, interpréter des couleurs, ce «bleu ciel» veut dire beaucoup de choses. Parmi elles par exemple, en mélangeant du bleu cobalt, ou du bleu outremer, ou du bleu de Prusse, avec du blanc. Quel embarras du choix entre tous ces bleus sans

Fig. 10. — Voici le paysage que décrivent ces pages. Un chemin se dirige vers le fond, des arbres se dressent des deux côtés, leur ombre sur le sentier...

Fig. 11. — A gauche, un des paysages peints par Alfred Sisley, le grand impressionniste. Il existe une réelle ressemblance de sujet avec le paysage peint par notre amateur imaginaire.

rien d'autre, vous savez que vous n'obtiendrez pas ce *bleu ciel* que vos yeux voient. Alors, de quelle couleur est-il? On dirait qu'il y a du cobalt clair, éclairci de blanc, une touche de carmin, un peu de jaune citron.

* * *

Vous êtes dans le vert des arbres. Vous avez trois tubes de vert : vert permanent clair, vert émeraude, vert bronze. Mais c'est toujours pareil. Aucun de ces verts-là, même éclaircis par du blanc, ne répond exactement à cette gamme compliquée des arbres.

Il faut se décider pour l'un des trois, ou pour deux d'entre eux et les mélanger, en y ajoutant peut-être un peu de jaune, de bleu et d'ocre.

* * *

Pourtant, voilà deux heures que vous vous débattez, que vous vous enfoncez sans le vouloir, et chaque fois davantage, dans le terrain marécageux des gris.

C'est fini. Fatigué, vous rangez tout. Vous allez nettoyer votre palette; vous la regardez: il n'y a qu'une seule couleur: du gris, du gris, du gris.

* * *

Nous sommes tous passés par là. Tous, un jour nous sommes tombés dans le piège des gris, un piège camouflé, vers lequel on se dirige sans même s'en rendre compte, en demandant: «De quelle couleur est-ce?» sans trouver la réponse. Savez-vous pourquoi? Avant tout, il faut connaître ce qui suit:

LES FACTEURS QUI DÉTERMINENT LA COULEUR DES CORPS.

Avant de vous demander la couleur des corps, vous devez savoir distinguer et juger les différents facteurs, qui interviennent pour conditionner cette couleur. Il y a des règles pour cela; on peut en parler de façon très concrète.

A un degré plus ou moins élevé, tout corps éclairé est soumis aux trois facteurs suivants, qui déterminent sa couleur:

   a) **La couleur locale: sa couleur propre et spécifique.**

   b) **La couleur tonale: les différences de couleur que donnent les effets de la lumière et de l'ombre.**

   c) **La couleur ambiante: les couleurs réfléchies par les autres corps à proximité.**

Ces trois facteurs sont à leur tour conditionnés par:

   d) **La couleur propre de la lumière.**

   e) **L'intensité de la lumière.**

   f) **L'atmosphère qui s'interpose.**

Nous allons développer ces facteurs, en tenant compte du fait que leur assimilation est indispensable, pour *réussir à voir* les différentes nuances de couleur qu'offre le modèle.

a) LA COULEUR LOCALE.

C'est la couleur même des corps. Quand nous parlons, nous mentionnons quelquefois cette couleur; par exemple, nous disons: une fleur *bleue*, une sphère *rouge*, un vêtement *jaune*. Le bleu, le rouge et le jaune constituent la *couleur locale* de chacun de ces objets.

Bien sûr, une fleur, une sphère, un vêtement sont des corps en volume; lorsqu'ils sont éclairés, ils présentent différentes nuances de couleur, à cause des effets de la lumière et de l'ombre. Il est possible, en plus, que ces couleurs soient influencées par d'autres couleurs, à proximité.

Nous dirons donc, en concrétisant le problème, que:

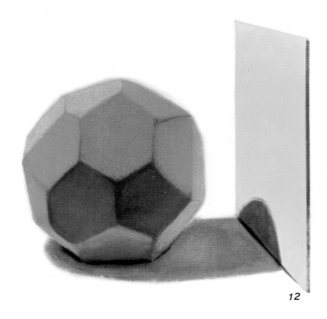

12

La couleur locale est la couleur propre des corps, dans les parties non soumises à l'influence des effets de la lumière et de l'ombre, ni à celle des couleurs réfléchies.

Pour mieux comprendre cette définition, voyez la figure 12 ci-jointe. Elle présente un polyèdre ou volume à facettes de forme sphérique, de couleur rouge, éclairé par une lumière latérale et se trouvant près d'une surface de couleur jaune. Il est certain que cette surface jaune ne présente aucune variation ; elle est plane, sans volume, et sa *couleur locale* est le jaune, il n'y en a pas d'autre. Sur le polyèdre par contre, on peut voir plusieurs teintes distinctes sur les différentes faces ou plans —dans le registre de la couleur locale rouge—, teintes dont certaines sont produites par les effets de la lumière et de l'ombre, et d'autres par la couleur que réfléchit la surface jaune.

Remarquez enfin que ces effets de lumière, d'ombre et de couleur réfléchie ne parviennent pas à transformer entièrement la couleur propre du polyèdre ; ici, le rouge, qui est présent dans toutes les nuances de ton se trouve être sa couleur de base.

b) LA COULEUR TONALE.

Il s'agit de la couleur locale transformée par les effets de lumière et d'ombre, ainsi que nous venons de le voir sur la figure du polyèdre rouge (fig. 12). Il présente en effet des facettes plus claires et plus foncées, les unes parce qu'elles reçoivent la lumière avec davantage d'intensité, avec un angle d'incidence dû à sa réverbération, les autres, parce qu'elles se trouvent en plus ou moins grande opposition par rapport à la direction de la lumière ; elles se trouvent aussi plus ou moins dans l'ombre.

Donc, la couleur tonale de cette forme, et de toutes les autres, reçoit presque toujours l'influence des couleurs réfléchies, de telle sorte qu'il est difficile de dire où commence l'autre.

Par conséquent, nous ferons bien de préciser que :

La couleur tonale est une variante plus ou moins claire ou foncée de la couleur locale ou propre, généralement influencée par la réflexion d'autres couleurs.

Nous reviendrons sur ce point important, lorsque le point suivant aura été développé.

c) LA COULEUR RÉFLÉCHIE.

Chacun des corps que vous regardez reçoit, entièrement, mais surtout dans les parties à l'ombre, l'influence de la couleur ambiante, des couleurs réfléchies par les corps les plus proches. Le mur à l'ombre d'une maison chaulée —dont la couleur locale est blanche—, peut devenir franchement verdâtre, orangé, ou jaunâtre ; c'est la conséquence des couleurs réfléchies par un groupe d'arbres proches, ou par la terre de couleur rougeâtre ou jaunâtre qui entoure le mur.

Remarquez les changements produits dans la couleur locale de notre polyèdre rouge (toujours sur la figure 12) par la réflexion de la surface jaune qui donne à ce côté un ensemble de teintes jaunâtres et orangées. Regardez aussi ce qui arrive en bas, à la base du polyèdre ; observez la couleur bleuâtre et violacée des facettes inférieures, créée par la lumière blanche que réfléchit le sol où se trouve le polyèdre.

L'OMBRE BIEN OU MAL COMPRISE.

De l'étude faite sur les deux précédents facteurs— la couleur tonale et la couleur réfléchie— on peut tirer une conséquence extrêmement importante :

Pour trouver la couleur tonale d'un corps, il ne suffit pas simplement de noircir la couleur locale.

C'est évident. Nous avons vu qu'il est difficile de déterminer où s'arrête la couleur tonale et où commence la couleur ambiante ou réfléchie. Nous avons vu que dans la couleur tonale, c'est-à-dire dans les valeurs que prennent les parties à l'ombre, il y a toujours des lumières ou des couleurs réfléchies par des surfaces ou des corps à proximité, qui modifient plus ou moins sensiblement la couleur propre, générale, du corps. Mais il ne faut pas vous imaginer avoir la prétention d'obtenir, en ajoutant simplement du noir, en noircissant la couleur locale, les couleurs que présentent les parties à l'ombre. Non, impossible ; car il y aura sûrement, dans ce jeu de pénombre et d'ombre, la complexité de la couleur ambiante qui créera des dizaines de nuances différentes.

Quand vous en aurez l'occasion, allez un jour au Musée du Louvre et observez par exemple les *carnations*, c'est-à-dire les couleurs de la chair des nus peints par d'aussi grands maîtres que Vélasquez, Rubens, Goya ; si vous ne voyez pas cette extraordinaire vibration de couleurs que produit la juxtaposition d'une infinité de teintes dans les parties éclairées, mais surtout dans les parties à l'ombre, si vraiment vous ne voyez pas

13

cela, alors c'est que vous souffrez de daltonisme ; cette infirmité de la vue empêche de voir exactement les couleurs dérivées du rouge et du vert, les deux couleurs qui entrent le plus dans les carnations de Vélasquez, Rubens et Goya.

Nous avons vu que la couleur locale, la tonale et les couleurs réfléchies déterminent ensemble la couleur d'un corps précis. Envisageons maintenant les trois facteurs lumineux suivants, qui conditionnent à leur tour les précédents.

d) LA COULEUR PROPRE DE LA LUMIÈRE.

Dans un même lieu, à l'aube, la lumière peut être d'un blanc bleuté, transparent ; à midi en plein soleil, blanche, tirant sur le jaune ; avec un ciel nuageux, elle aura des teintes grisâtres ; au crépuscule, lorsque le soleil se couche, le ciel et les corps se teindront d'une couleur franchement orangée. La lumière artificielle courante est jaune ; la lumière fluorescente peut être rosée ou bleutée. Dans les pays nordiques, la lumière est «froide», tirant sur le bleu ; au Sud, la lumière est plus «chaude», plus jaune. Ces différences se remarquent même lorsque nous peignons en extérieur, dans les différentes villes d'un même pays. On a dit quelquefois que la couleur rose prédomine dans les ciels méditerranéens ; la lumière de Camaret ou des ports est plus bleue que celle de Paris, plus grise que celle de Lyon.

Naturellement, ces variations dans la couleur de la lumière modifient plus ou moins celle des corps. Elles ont surtout de l'influence sur la couleur ambiante et colorent de façon particulière le sujet que nous avons sous les yeux. Je possède deux tableaux qui pourraient être de parfaits exemples de ce dont nous parlons. L'un a été peint sur la jetée du port de Cannes, un soir d'été. Je me rappelle que je commençais à peindre juste quand le soleil se cachait derrière la montagne, quand sa lueur jaune et orangée était réfléchie par le ciel et envahissait l'eau du port en une lumière vraiment dorée. Dans ce tableau, tout montre l'influence de cette couleur ambiante jaune, ocre, orangée, dorée. Les rouges sont un peu fauves; les bleus tirent sur le vert olive; les jaunes sur le vieil or. Contrairement à ceci, peu de temps après, j'ai peint un petit tableau en Provence où le ciel était le plus bleu de tous les ciels que je me rappelle, d'un bleu très intense, qui invitait à peindre directement au bleu cobalt tel qu'il sortait du tube; cela donnait à tous les corps —bateaux, collines, maisons—, une vraie patine bleue très apparente.

Il n'est pas besoin de dire que le bon peintre est capable de voir, dès le début, la tendance chromatique que donne la couleur propre de la lumière et qu'il sait s'en servir pour donner —même en l'exagérant— une vue plus artistique du sujet.

Regardez pour finir, comme exemple graphique des modifications que produit la couleur propre de la lumière, notre polyèdre de forme sphérique et de couleur rouge, éclairé par une lumière bleue qui influence et modifie la couleur locale ou propre du sujet, la couleur tonale et la couleur réfléchie (fig. 13). Remarquez qu'ici, la couleur réfléchie tire sur le jaune vert, résultat de la lumière réfléchie par la surface jaune à l'origine qui, en recevant la lumière bleue, se teinte de vert. Observez aussi la tendance bleue que prend la couleur tonale des facettes inférieures, qui reçoivent la lumière bleue réfléchie par le sol.

e) L'INTENSITÉ ET LA LUMIÈRE.

La lumière naturelle est blanche. A la pleine lumière du jour, les corps bleus, rouges, jaunes, etc. —surtout les rouges et les jaunes— sont saturés de couleur, et réfléchissent totalement, intensément, leur couleur locale, leur couleur propre.

Quand la lumière diminue, logiquement, l'intensité des couleurs diminue. Mais ne croyez pas que cette intensité moindre, cet obscurcissement des couleurs suppose leur *noircissement*. S'il est bien certain que l'absence totale de lumière aboutit au noir, il est également certain que:

La diminution de l'intensité de la lumière naturelle aboutit à une lumière bleutée, qui imprègne de bleu toutes les couleurs.

C'est facilement visible au crépuscule quand le soleil se couche et que le paysage reçoit les dernières lueurs du jour. *Alors tout est bleu.*

Si l'on va plus loin, vous pouvez commencer à comprendre maintenant pourquoi le bleu est une couleur qui prédomine dans toute ombre propre ou portée. Vous comprenez? L'ombre est obscurité, elle est «une moindre intensité de la lumière»; dans toute ombre, il y a un peu de ce crépuscule bleuté dont nous parlions.

Donc, la quantité plus ou moins grande de lumière peut modifier notablement la couleur des corps. Notre polyèdre rouge, lorsqu'il reçoit une grande quantité de lumière (fig. 14), présente dans ses parties

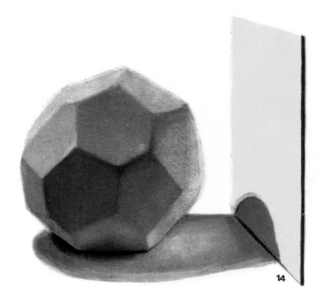

les plus éclairées une tendance jaunâtre. Sa couleur locale se traduira par un vermillon plus vif, plus lumineux, plus clair. Ses couleurs tonales ne seront pas aussi influencées par le bleu.

Si le même polyèdre reçoit une lumière de moindre intensité, il présentera automatiquement une tendance marquée au violet; dans ses tons les plus foncés, dans les parties à l'ombre, cette tendance dégénèrera en un brun très foncé, presque noir. Si nous exposions le polyèdre à cette faible lumière du crépuscule, il nous apparaîtrait pratiquement noir, résultat du «mélange» de la couleur rouge du corps avec le bleu foncé de la lumière.

f) L'ATMOSPHÈRE INTERPOSÉE.

Sur la figure 15, vous pouvez voir un exemple graphique des changements que produit l'atmosphère interposée sur la couleur d'un corps donné. Au premier plan, nous avons le polyèdre rouge de forme sphérique, qu'on suppose intensément éclairé; il présente un vif contraste entre sa couleur locale propre et les différentes nuances de sa couleur tonale. Plus loin, derrière, nous avons placé le même polyèdre rouge qui reçoit le même éclairage, mais présente un changement radical dans l'ensemble de sa coloration, changement dû à l'atmosphère interposée.

Vous rappelez-vous cette couleur bleutée des montagnes à l'horizon? Oui, bien sûr. Et vous vous rappelerez également la classique vue panoramique de la grande ville prise d'en haut, dont les maisons et les édifices les plus lointains se fondent en une masse de tons violacés, gris et bleutés. En fait, la couleur locale, la couleur propre de ces monts à l'horizon, n'est pas bleue, pas plus que ne l'est cette maison éloignée ou cet édifice qu'on aperçoit dans le panoramique de la grande ville. La montagne est sans doute verte, de couleur terre claire ou terre foncée;

15

la maison est peut-être blanche et le bâtiment jaune. Mais, à cause de l'atmosphère interposée, de la distance et de l'espace, ces couleurs et toutes les autres, nous paraissent bleues, d'un bleu violacé, très brun quelquefois, ou d'un bleu grisâtre, selon l'intensité et la couleur de la lumière.

Nous insisterons plus loin sur cet important facteur, qu'est l'atmosphère par rapport aux couleurs, mais pour l'instant, voyons un ensemble de règles précises, faciles à mettre en pratique, dans lesquelles on détermine les effets que produit l'atmosphère par les facteurs suivants :

1° **Contraste marqué du premier plan par rapport aux plans postérieurs.**
2° **Décoloration et tendance au gris (nous dirons au bleu s'il s'agit de peinture) au fur et à mesure que les plans s'éloignent.**
3° **Limpidité marquée du premier plan par rapport aux plans postérieurs.**

Nous achevons ici l'étude essentielle des principaux facteurs qui déterminent la couleur des corps. Nous avons déjà résolu quelques inconnues du problème que posait la question : «De quelle couleur est-ce?». Nous allons maintenant approfondir notre recherche pour trouver une meilleure réponse.

TROIS COULEURS ET LE BLANC.

Ainsi que nous l'avons vu en étudiant la théorie de la couleur dans la partie consacrée à nos couleurs —couleurs-pigment—, on démontre en physique que :

Avec les trois seules couleurs primaires, bleu cyan, rouge magenta et jaune, on peut obtenir toutes les couleurs de la nature, y compris le noir.

Il en est ainsi théoriquement, sans aucun doute. Sur le plan de la pratique, nous devons ajouter le blanc à ces trois couleurs. Blanc qui sera celui du papier lui-même (si on peint à l'aquarelle par exemple) ou qui interviendra comme couleur réelle, si on peint à l'huile ou avec d'autres matières opaques. Dans n'importe quel cas, pour obtenir un rose par exemple, on devra affaiblir le pourpre avec du blanc; pour obtenir un vert clair, il faudra mélanger le jaune avec du bleu et y ajouter le blanc du tube si on peint à l'huile, ou diluer le vert avec davantage d'eau, pour arriver à une plus grande transparence du blanc du papier, si on peint à l'aquarelle.

Ajoutons également qu'en réalité, il serait peu pratique de se forcer à peindre avec les trois couleurs primaires seulement, en essayant d'obtenir les autres par des mélanges, alors qu'on peut disposer de secondaires déjà fabriquées, et également de tertiaires, de quaternaires, avec des gammes étendues de jaunes, de verts, de bleus, de terres de Sienne.

Mais tout ceci ne modifie pas la réalité théorique et pratique de la règle précédente à laquelle nous devons nous soumettre pour savoir distinguer et trouver la couleur du modèle. Lisez cette règle une seconde fois. Il en découle une autre règle dont vous devrez toujours tenir compte; chaque fois que vous verrez la couleur d'un corps, vous réfléchirez et fixerez les yeux sur le modèle, en vous demandant: «De quelle couleur est-ce?» La voici:

Quelle que soit la couleur d'un corps, il y aura toujours dans sa composition une part de bleu, une autre de rouge magenta et une troisième de jaune.

Toujours, même quand le corps présentera une couleur donnée, une primaire, un rouge semblable à celui que vous pourrez avoir dans votre collection de couleurs à l'huile, ce qui serait déjà un hasard extraordinaire; même dans ce cas insolite, il y aura dans ce corps, dans ses parties à l'ombre, des couleurs tonales et des couleurs réfléchies —rappelez-vous le polyèdre rouge—, des couleurs qui exigeront la présence du bleu et du jaune, en plus du rouge. Et ne parlons pas des corps dont la couleur est déjà indéfinie par elle-même, c'est-à-dire les plus nombreux, l'immense majorité! Levez les yeux, regardez autour de vous, voyez-vous une seule couleur précise? Un bleu, un rouge, un jaune, un vert, etc., qui puisse être peint en appliquant tout simplement, directement la couleur du tube? Non, n'est-ce pas? Moi-même, en ce moment si je regarde ce que j'ai devant moi, je remarque déjà la table; ma table, dans mon bureau, est de couleur acajou, acajou foncé; donc la couleur locale a un certain rapport, rapport dans la «gamme» non dans le ton, avec cette couleur à l'huile appelée «ocre doré». Je pourrais m'en servir comme base mais, pour l'adapter à la couleur locale de la table, je devrais y ajouter, dès le début, un peu de bleu et de pourpre. Puis, pour rendre avec ce même «ocre doré» les parties à l'ombre, les couleurs tonales et réfléchies, il me faudrait obligatoirement le mélanger, le composer, le combiner, avec du bleu cyan, du pourpre et du jaune.

Enfin, si vous gardez présent à l'esprit que la nature entière est un ensemble de couleurs indéfinies, que pratiquement aucun corps ne présente dans toutes ses parties une couleur précise, et qu'il faut toujours la créer, la chercher, la composer, alors vous saisirez que la règle précédente est d'une importance vitale pour voir et trouver la couleur du modèle.

Raisonnons sur des exemples pratiques :

Nous allons commencer par composer une couleur aussi indéfinie que le kaki, la couleur bien connue de l'uniforme militaire, en mélangeant pour cela, dans les proportions données, les trois couleurs primaires avec l'aide du blanc.

Je ferai ces mélanges avec de la peinture à l'huile, sur une toile blanche. Regardez : voici les trois primaires (fig. 16). En essayant de trouver trois couleurs dont la gamme s'en rapproche le plus possible, j'ai choisi les suivantes :

Pour le bleu cyan ... ...   BLEU DE PRUSSE
pour le rouge magenta... ...   CARMIN DE GARANCE
pour le jaune ... ...   JAUNE DE CADMIUM CLAIR

Analysons la couleur kaki :

Vous la rappelez-vous ? Elle n'est ni bleue, ni jaune, ni non plus exactement verte, quoique le vert y tienne une grande place. En effet, on peut dire que la dominante du kaki est le vert. Voyons :

On obtient en principe un vert neutre, lumineux, en mélangeant le bleu et le jaune (fig. 16, A). Mais il y a trop de bleu dans ce vert. Si vous vous souvenez de la couleur kaki, il nous faut partir d'un vert jaunâtre ; mélangeons donc plus de jaune. Voici (B) le vert qui nous convient.

Il suffira maintenant d'ajouter un peu, très peu de pourpe, et nous aurons la couleur kaki (C).

Tous les uniformes militaires ne sont pas du même kaki. Il y en a de plus foncés, quand ils sont neufs, de plus clairs, quand l'usage et le temps les ont décolorés.

En ajoutant à ce kaki un peu de bleu et un peu de blanc, nous aurons un kaki assez grisâtre, moins criard que le précédent (D). Si on ajoute à C, une petite touche de jaune et de blanc, on obtient un kaki pâle (E). Si on recommence avec le vert A, en y ajoutant un peu de blanc et une touche de carmin, on obtient une autre couleur

Fig. 16. — On peut composer une gamme infinie de couleurs avec seulement les trois couleurs primaires, plus le blanc; par exemple celle-ci: des kakis, des verts, avec lesquels on pourra parfaitement peindre un uniforme, un arbre, un buisson, etc.

(F). Si nous ajoutons à ce dernier du bleu, du pourpre et du blanc, nous aboutirons à un kaki, qui pourra nous servir à peindre les parties sombres d'un costume militaire.

Vous avez déjà compris en suivant le déroulement représenté fig. 16, que suivant l'augmentation de chaque couleur, suivant l'adjonction ou la suppression du blanc, on peut obtenir une gamme très étendue, pratiquement infinie, de couleur kaki.

Comme preuve de ce qui vient d'être dit, regardez le cube (au bas de cette même figure 16, page précédente) construit avec les couleurs E, F et G ; elles représentent les couleurs locales et tonales, c'est-à-dire la couleur propre et la couleur donnée par le jeu de la lumière et de l'ombre.

En partant de ces mélanges pour trouver la couleur kaki, imaginez maintenant que nous devions composer une gamme donnée de verts ; une série de tons dans les verts pour peindre, par exemple, un groupe d'arbres, un pré, des buissons. Vous l'avez compris, la chose est très facile ; en travaillant avec les mêmes couleurs primaires et en donnant plus de valeur au bleu ou au jaune, avec la possibilité d'ajouter du blanc au vert obtenu par le mélange des deux, de modifier également ce vert par l'addition du pourpre, vous obtiendrez une infinité de verts : verts clairs, lumineux, jaunâtres, bleutés, foncés, fauves, rougeâtres. La même figure 16 nous sert encore d'exemple ici.

Mais poursuivons nos exemples pratiques. Essayons de peindre maintenant la *couleur chair*, autre couleur complexe, peu précise, qui n'est ni rose, ni jaune clair, ni vraiment orange. Voyons ce qu'on peut obtenir en utilisant les mêmes couleurs primaires, et uniquement celles-ci, avec du blanc :

Avec un peu de jaune, davantage de blanc et très peu de pourpre, remarquez qu'il n'est pas nécessaire d'ajouter du bleu, nous obtenons déjà une couleur chair (A).

C'est une couleur chair très lumineuse, un peu criarde apte à peindre seulement les zones très éclairées, peut-être les surfaces les plus brillantes du modèle. Essayons de la «salir» un peu, en ajoutant un tout petit peu de bleu et le résultat correspond mieux à une couleur chair locale (B).

On peut aussi lui donner la variante que montre la couleur suivante (C), en ajoutant très peu de pourpre ;

Fig. 17. — Toutes les teintes de la couleur chair, toutes les couleurs nécessaires pour peindre une tête, pratiquement *toutes les couleurs de la nature* proviennent et peuvent s'obtenir par le mélange des primaires bleu cyan, rouge magenta et jaune (avec du blanc).

si on y ajoute davantage de pourpre et de jaune, on obtiendra cette couleur chair bronzée (D).

Arrêtons-nous. Comme vous voyez, cette «couleur chair» —*toutes les couleurs* pourrait-on dire— est très relative. En effet, on ne peut parler d'une «couleur chair» précise, spécifique; il y a beaucoup de couleurs chair: chair claire, foncée, rosée, olivâtre, verdâtre, même bleue, en raison de nombreux facteurs: couleur locale, couleur tonale, couleurs réfléchies. L'esquisse de la tête que j'ai peinte à l'huile, figure 17, peut servir de démonstration. Il est difficile d'y déterminer le nombre exact de couleurs et de teintes qui colorent, et donnent forme aux différentes parties du visage, depuis la terre de Sienne foncée jusqu'au bleu clair, en passant par le rose, l'ocre, le crème, le vert clair, ou foncé, le noir. Cette grande variété de couleurs a été OBTENUE en mélangeant les trois couleurs primaires.

Ces trois couleurs peuvent-elles donner le gris? très facilement, trop facilement même. Il suffit de les mélanger suivant des proportions données (à peu près: 50 % de bleu, 30 % de rouge et 20 % de jaune), ce qui nous donnera d'abord le noir, auquel on ajoutera la quantité nécessaire de blanc pour obtenir le gris désiré (fig. 18, A). En variant les proportions précédentes, on pourra obtenir différentes gammes de gris: gris «froids», à tendance bleue (B), verdâtre (C), ou gris «chauds» à tendance jaune (D), rougeâtre (E).

Ainsi les premières expériences de tout amateur peintre donnent presque toujours des tableaux peu lumineux, pauvres en couleurs, monotones, gris. C'est parce que cet amateur fait —peut-être sans le savoir— la chose même qui a été décrite au paragraphe précédent: mélanger les trois primaires dans les proportions indiquées ou presque semblables.

> «*Non, excusez — il me semble entendre cet amateur. Je peins avec beaucoup plus de couleurs que ces trois-là; mes mélanges ne se réduisent pas au bleu, au rouge et au jaune. Regardez ma palette: je travaille avec trois jaunes, deux terres de Sienne, deux rouges, un carmin, trois verts, trois bleus*»...

qui, en fin de compte, dérivent, naissent, des trois primaires pourrions-nous répondre à cet amateur. Cela revient finalement au même de mélanger les trois primaires dans les proportions indiquées, que d'arriver à ce mélange, avec les secondaires ou les tertiaires. Vous obtiendrez le même gris avec le mélange du bleu cyan, du pourpre et du jaune, qu'avec la combinaison des secondaires rouge, vert et bleu foncé et qu'avec celle des tertiaires vert clair, vert émeraude, bleu outremer, violet. 30

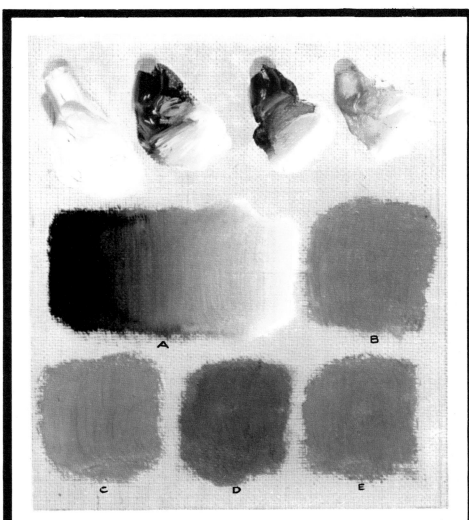

Avec le mélange des trois primaires, suivant les proportions données, nous obtiendrons le noir, lequel, en y ajoutant la quantité nécessaire de blanc, nous donne le gris désiré. En variant les proportions de bleu, de pourpre et de jaune, on pourra obtenir différentes gammes de gris ; gris froids, à tendance bleue, verdâtre ou violette, ou gris chauds, à tendance jaune, rougeâtre ou orangée.

18

«Voulez-vous me dire alors, à quoi servent tant de bleus, de verts, de jaunes différents si on peut tout peindre avec seulement les trois primaires? Si on travaille avec une palette plus riche en couleurs, on tombe quand même dans le «piège des gris». Voulez-vous alors m'expliquer pourquoi tous les artistes ne limitent pas leur gamme de couleurs à ces trois fameuses primaires?»

La question est décisive. A tel point que nous réserverons la réponse pour le prochain chapitre. Nous y verrons le pourquoi et le comment de toutes les couleurs utilisées en général par l'artiste; nous essaierons de répondre définitivement à la question: «De quelle couleur est-ce?»; nous tenterons aussi de voir les causes qui empêchent cet amateur de peindre des tableaux au coloris éclatant, vif, réel. En général, on utilise trop de blanc, tout en ignorant les couleurs complémentaires et les contrastes que l'on peut en tirer.

Deuxième chapitre

Couleur et contraste.
Mise en valeur et induction des couleurs.
Application pratique: le même sujet
sur des fonds différents.
Usage et abus du blanc et du noir.

—On voit tellement de choses dans ces rues!

Le vieux Jacques racontait une bonne histoire. Jacques savait beaucoup de choses; il était cocher de fiacre à Paris vers 1820; il connaissait beaucoup de monde; il savait tout sur les gens riches, les potins et les liaisons célèbres. Il avait un beau cabriolet jaune canari.

—Hier... —il remplit son verre et se carra sur sa chaise— j'étais à Montmartre, près de la place Blanche et j'attendais une course, quand je vis venir vers moi sortant en courant d'un porche, un homme en chemise, coiffé d'un chapeau à large bord et portant une lavallière; il frottait ses mains tachées de peinture... «Au Louvre, et vite!», me dit-il. Je n'avais même pas agité les rênes que je l'entendis crier: «Attendez!» Il descendit de la voiture et chercha par terre comme s'il avait perdu quelque chose. Mais pas du tout; il repartit vers l'entrée de sa maison, se retourna et de là, regarda mon fiacre comme si c'était quelque chose d'étrange... avança de trois pas, fit trois pas en arrière, s'arrêta... toujours en me regardant et en regardant la voiture... Il revint à toute vitesse, me dit qu'il n'allait plus au Louvre, me donna un demi-franc et retourna vers le porche.

—Lui as-tu couru après? —demanda quelqu'un dans l'assemblée.

—Tu parles! Il ne m'en a pas laissé le temps. Une vraie chèvre! Avant d'entrer, il s'est encore arrêté, a de nouveau regardé en disant je ne sais quoi et a monté les escaliers comme un fou, grimpant les marches quatre à quatre.

—C'était sûrement un peintre! s'exclama quelqu'un d'autre.

—C'en était un, dit Jacques en riant aux éclats tout en faisant tourner son doigt sur sa tempe.

Mais non, Delacroix, car c'était lui, le grand Delacroix n'était pas fou. Charles Blanc, contemporain de Delacroix, nous raconte l'anecdote de façon bien différente. Blanc dit, dans sa *Grammaire des Arts du Dessin*, que Delacroix était en train de peindre un drapé jaune. Cela faisait longtemps qu'il cherchait un jaune intense, lumineux; il essayait sans arrêt, sans parvenir à ce contraste dont il se souvenait dans les jaunes de Rubens ou de Véronèse. Désespéré, il décida d'aller au Musée du Louvre pour voir ce qu'avaient fait ses prédécesseurs. Il était pressé et ressentait la nécessité impérieuse de résoudre son problème sur l'heure. Il sortit dans la rue en courant, en plein soleil, et aperçut sans la voir vraiment, en face de sa maison, l'éclatante tache jaune d'un fiacre. Il y monta et n'eut pas plutôt parlé que la vision fugace de ce jaune fantastique lui revint à l'esprit. «Le voilà!», se dit-il. Il descendit, regarda, et comprit. En effet, il était bien ainsi, et cela *parce que les ombres portées sur le sol par le fiacre étaient de couleur bleu violet*. «La loi des complémentaires de Chevreul!», pensa Delacroix.

Vous aussi éprouverez un jour cette difficulté de Delacroix : faire contraster les couleurs avec violence et luminosité ; vous aussi lutterez pour obtenir la richesse la plus grande possible dans le coloris de votre tableau. Pour essayer encore de répondre à la question «De quelle couleur est-ce?», voici, qui vous servira maintenant et toujours, une série de règles et de données sur la couleur et le contraste ; c'est un pas de plus pour ne pas tomber dans le «piège des gris».

COULEUR ET CONTRASTE

Nos couleurs sont extrêmement pauvres, comparées aux couleurs et à la lumière de la nature. Il suffirait de faire par exemple l'expérience suivante pour s'en rendre compte :

Supposez que vous fassiez un trou dans le mur d'une pièce ou d'un espace sans lumière. Le noir de ce trou sera réel, ce sera «la couleur noire peinte par les couleurs-lumière», c'est-à-dire le contraire de la lumière elle-même, le manque absolu de lumière et de couleur. Imaginez qu'à côté même de ce trou, vous peigniez, à la peinture noire, une forme identique à celle du trou ; comme il est sûr que pour voir ce noir, il faudra de la lumière, il faudra l'éclairer, celui-ci deviendra en fait un gris foncé, si on le compare au noir réel que donne l'obscurité (fig. 1 de cette seconde partie).

Pour imiter le contraste exact qui existe entre les couleurs de la nature, nous devons mettre en pratique un ensemble de règles fondées sur les lois du contraste entre les valeurs et les couleurs.

CONTRASTE DE VALEUR ET CONTRASTE DE COULEUR.

C'est sur la différence entre *valeur* et *couleur* que commencent ces données.

Nous devons en effet distinguer le contraste fourni par la valeur de celui fourni par la couleur et analyser particulièrement comment naît ce dernier.

Le contraste fourni par la valeur est celui dans lequel la couleur n'in-

1

tervient pas. Un noir à côté d'un blanc, un gris foncé et un gris clair ou la juxtaposition du noir, du gris et du blanc, donnent lieu à un contraste de valeur. Un bleu foncé et un bleu clair contrastent également par la valeur, l'un étant d'intensité plus faible que l'autre, *dans une même couleur*. On pourrait dire la même chose d'un jaune foncé et d'un jaune clair, d'un rouge et d'un rose, etc.

Si maintenant, à côté de ce bleu foncé, nous peignons un rouge d'une égale intensité, nous aurons le contraste d'une couleur par rapport à une autre, contraste fondé uniquement sur la différence qui existe entre les deux couleurs. Si enfin le bleu est foncé et le rouge clair, nous aurons un double contraste fourni à la fois par la *couleur* et par la *valeur* (fig. 2).

Fig. 2. — **Contraste de valeur.** — La juxtaposition du noir et du gris donne un contraste **de valeur.** Deux gris d'intensité différente fournissent également un contraste de valeur.

Contraste de valeur. — De même, si on juxtapose un bleu foncé et un bleu clair, on obtient aussi un contraste **de valeur,** étant donné que l'un et l'autre sont de la même couleur et qu'il y a seulement une différence de valeur (le **ton** bleu foncé et le **ton** bleu clair).

Contraste de couleur. — Deux couleurs différentes mais d'une même intensité, comme par exemple, le bleu et le pourpre, donnent lieu à un contraste **de couleur.**

Contraste de couleur et de valeur. — Enfin, si on juxtapose par exemple un bleu **foncé** et un pourpre **clair**, on obtiendra un contraste fourni à la fois **par la couleur** et **par la valeur.**

CONTRASTES DE COULEUR DUS AUX CONTRASTES DE VALEUR.

Il y a en peinture une loi très simple, connue sous le nom de *loi des contrastes simultanés*, et dont l'essentiel peut se résumer ainsi :

«Si on peint une forme grise sur un fond noir, puis la même forme du même gris d'intensité égale sur un fond blanc, ce dernier gris semble être plus foncé que le premier» (fig. 3).

Cette règle est de la même façon valable si on travaille avec des couleurs. En effet, si sur deux surfaces, l'une de couleur claire et l'autre de couleur foncée ou noire, on peint une même couleur, par exemple un carré pourpre, la loi du *contraste simultané* nous donnera l'impression optique que le pourpre placé sur le blanc est plus foncé que le pourpre entouré de noir, et inversement (fig. 4).

On peut donc en tirer les conclusions suivantes, et les appliquer à l'étude de la couleur :

1° — Une couleur pâle devient d'autant plus claire que la couleur qui l'entoure est plus foncée.

2° — Une couleur intense devient d'autant plus foncée que la couleur qui l'entoure est plus claire.

Nous allons élargir ces données à une nouvelle expérience : en peignant le dégradé d'une couleur quelconque, le bleu par exemple, en une série de franges, nous verrons combien la couleur d'une seule frange

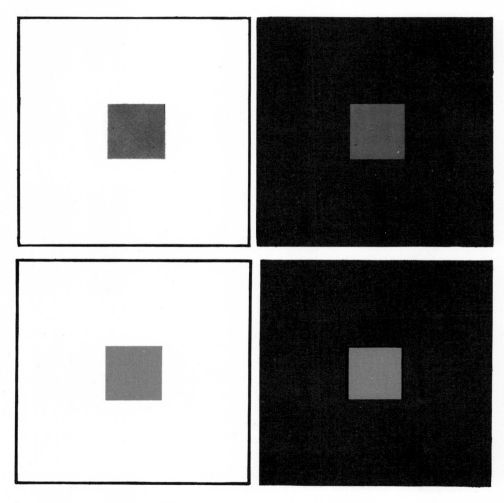

Fig. 3 et 4. — **La loi des contrastes simultanés.** — Par la loi du contraste simultané, un gris peint sur un fond blanc devient optiquement plus foncé que le même gris sur fond noir. La même loi se répète exactement, si on travaille avec des couleurs. Vous pouvez voir sur l'illustration ci-dessus, que le pourpre sur fond blanc semble être plus foncé que le pourpre sur fond noir.

5 A

Fig. 5 A. — La valeur de cette frange bleue est uniforme. Elle présente une régularité absolue. Mais si cette même frange de valeur uniforme est placée parmi les autres (fig. 5 B), elle présente une réelle variation de valeur, elle devient plus claire à la limite supérieure, et plus foncée à la limite inférieure.

5 B

fait ressortir la couleur de celles qui lui sont proches ou juxtaposées. Regardez ce phénomène curieux sur la figure 5 ci-contre.

Elle présente un dégradé composé de six franges d'une même couleur, mais de valeurs différentes. Si vous étudiez l'une quelconque de ces franges séparément, en l'isolant des autres, vous verrez qu'elle n'offre pas la plus petite variation de valeur ; la couleur de cette frange est régulière, plane, uniforme (fig. 5 A). Par contre, si vous regardez la même frange au milieu des autres, vous pouvez constater qu'il se produit une sorte d'estompe, et *qu'elle est plus claire du côté bordé par la frange supérieure foncée, alors qu'au contraire, elle est plus foncée du côté qui borde la frange inférieure plus claire* (fig. 5 B).

En résumé, les figures précédentes, 4 et 5, nous prouvent que :

La juxtaposition de deux couleurs d'une valeur différente les fait ressortir, en éclaircissant la claire et en obscurcissant la foncée.

Vous devez vous rappeler cette règle. Elle prouve que *le contraste de valeur rehausse la couleur* et donne un contraste de couleur. Elle nous indique qu'une couleur vue séparément, sans possibilité de comparaison avec une autre, présentera une nuance différente de la même couleur placée près d'une autre. Nous verrons plus loin l'importance de cette règle dérivée de la loi des contrastes simultanés. Mais auparavant, parlons du contraste fourni exclusivement par la couleur.

CONTRASTES DE COULEUR DUS À LA COULEUR.

Rappelons d'abord ce que nous entendons par *couleur complémentaire*.

Vous rappelez-vous quelle couleur apparaît sur un écran lorsqu'on y projette trois faisceaux de lumière colorée, l'un bleu, l'autre rouge et l'autre jaune ? C'est l'expérience des trois appareils de projection—, vous

vous en souvenez : il s'agit du blanc, de la lumière elle-même recomposée par l'addition des trois couleurs primaires-lumière. De même, vous rappelez-vous quelle couleur apparaît sur l'écran en projetant seulement le vert et le rouge, sans le bleu ? Oui, n'est-ce pas ? C'est le jaune, la couleur-*lumière* jaune. Si avec les trois couleurs superposées, nous obtenons le blanc, la lumière elle-même, et si, en enlevant le bleu, on a le jaune, on peut dire que *le bleu est complémentaire du jaune et inversement, car le premier complété par le second recompose la lumière blanche.*

Pour les mêmes raisons, le pourpre, obtenu par le mélange du bleu et du rouge, est complémentaire du vert ; et le bleu cyan, obtenu par le mélange du bleu et du vert (nous parlons de *couleurs-lumière*), est complémentaire du rouge. Regardez la figure ci-contre n° 6, et le tableau des couleurs de la figure 9 du premier chapitre. Revoyez ce que vous avez déjà appris, et affermissez vos connaissances avant de poursuivre.

Ce qui vient d'être dit se rapporte aux *complémentaires-lumière*, c'est-à-dire aux mélanges des *couleurs-lumière*. Si nous passons aux *couleurs-pigment*, les nôtres, *la théorie et les couleurs restent les mêmes,* mais avec les variantes que donnent la soustraction de la lumière au lieu de l'additionner. De sorte que, comme nous l'avons vu au chapitre précédent et en accord avec ce qui vient d'être dit dans ces paragraphes,

le mélange de deux complémentaires-lumière donne le blanc.

Le mélange de deux complémentaires-pigment donne le noir : elles se neutralisent.

En effet, si vous mélangez le pourpre et le vert, vous obtiendrez un noir grisâtre, suivant le type des couleurs utilisées (huile, aquarelle, pastel, etc.), mais toujours une neutralisation. Et il arrivera la même chose si on mélange du bleu cyan et du rouge, ou du bleu foncé et du jaune (fig. 7).

Tout ceci est très important, en ce qui concerne l'étude du phénomène suivant :

LE PHÉNOMÈNE DES IMAGES SUCCESSIVES.

Notre organe de la vue comporte un nerf spécifique qui sert, entre autres, à transmettre les différentes sensations, que produit la lumière. Ce nerf optique est très sensible aux variations de couleur. Il doit les enregistrer une par une et les transmettre au cerveau, alors que nous voyons et regardons les corps éclairés qui nous entourent. Mais il peut se reposer, relativement en pleine lumière, lorsque nous regardons une surface totalement noire.

Comme n'importe quelle autre partie de notre organisme, le nerf optique ne peut supporter une trop grande fatigue ; quand on le fait travailler plus qu'il ne le peut, il refuse de continuer à enregistrer les couleurs et réclame sa couleur préférée, la seule qui lui permette de se reposer, le noir. Ainsi, lorsque notre nerf optique rencontre un blanc écla-

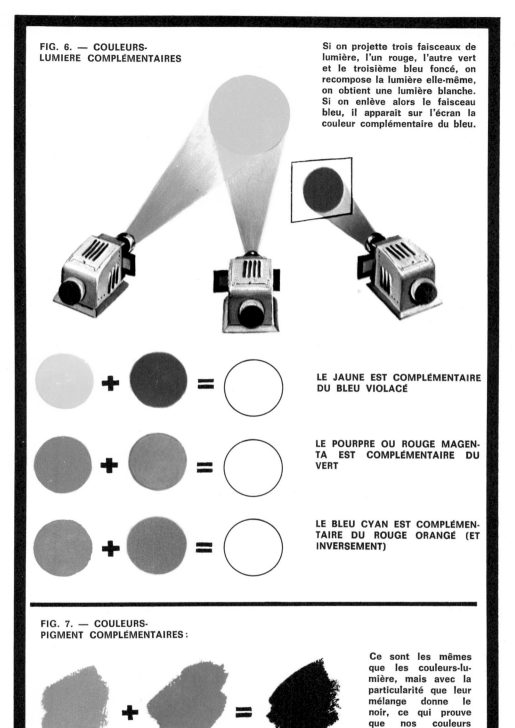

FIG. 6. — COULEURS-LUMIERE COMPLÉMENTAIRES

Si on projette trois faisceaux de lumière, l'un rouge, l'autre vert et le troisième bleu foncé, on recompose la lumière elle-même, on obtient une lumière blanche. Si on enlève alors le faisceau bleu, il apparaît sur l'écran la couleur complémentaire du bleu.

LE JAUNE EST COMPLÉMENTAIRE DU BLEU VIOLACÉ

LE POURPRE OU ROUGE MAGENTA EST COMPLÉMENTAIRE DU VERT

LE BLEU CYAN EST COMPLÉMENTAIRE DU ROUGE ORANGÉ (ET INVERSEMENT)

FIG. 7. — COULEURS-PIGMENT COMPLÉMENTAIRES:

Ce sont les mêmes que les couleurs-lumière, mais avec la particularité que leur mélange donne le noir, ce qui prouve que nos couleurs soustraient de la lumière.

41

tant, avec lequel il est obligé de coexister, par exemple dans un paysage totalement enneigé et reflétant la lumière du soleil, il peut protester jusqu'à une cécité temporaire. (Comme vous le savez, la vue prolongée d'un endroit neigeux et ensoleillé peut conduire à la cécité.) Quand on l'oblige à regarder directement, pendant quelques secondes, la lumière éclatante du soleil, il réclame aussi impérativement sa petite portion de noir. Et il le fait de façon si évidente que vous pouvez en remarquer les effets. Vous avez regardé quelquefois directement le soleil. Alors vous vous rappellerez ce qui arrive, dès qu'on détourne les yeux. *Pendant un certain temps, apparaît devant les yeux un cercle foncé*, une sorte de tache circulaire, flottante, de couleur foncée, et qui empêche une vue normale.

Et cette image foncée, flottante qui va et vient, qui se répète de façon intermittente jusqu'à ce que le nerf optique se soit reposé de son effort, est ce qu'on appelle *les images successives*.

Voyons maintenant comment nous allons mettre en rapport notre nerf optique avec les couleurs complémentaires et les images successives.

Vous pouvez voir, à côté de cette page, un espace blanc. Vous trouverez intercalé ici un carton où figure une flèche dont la pointe est constituée par un triangle de couleur pourpre. Découpez la flèche avec des ciseaux, soigneusement, en suivant les lignes pointillées. Mettez-vous sous une bonne lumière, d'autant meilleure qu'elle sera plus puissante ; placez la flèche au centre de cet espace blanc ci-joint, afin que le triangle pourpre soit au milieu ; tenez la flèche par le manche, en essayant d'éliminer les ombres, et *afin que vous puissiez l'enlever très rapidement* (figure 8 ci-contre).

Découpez la forme de cette flèche, pour expérimenter pratiquement le phénomène des images successives.

Il s'agit maintenant de regarder fixement le triangle rouge, de clouer les yeux sur le centre de ce triangle pendant une durée d'environ vingt secondes ; puis de retirer très rapidement la flèche et le triangle, mais sans détourner le regard, en gardant les yeux fixés à l'endroit où se trouvait le triangle.

Si vous faites cela, au moment d'enlever le triangle de couleur pourpre, vous verrez sur le papier blanc, très clairement, parfaitement nette, une forme identique dans sa couleur complémentaire, c'est-à-dire de couleur verte, en fait, un vert clair et lumineux.

N'est-ce pas étrange? Lorsque vous avez regardé fixement, votre nerf optique a enregistré la couleur, il a vu qu'elle était rouge. Mais votre insistance l'a fatigué. Quand vous avez enlevé le rouge, il s'est précipité à la recherche du repos, du noir. Du noir car... nous savons déjà que la complémentaire du rouge, ou mieux, du pourpre, est le vert ; et nous savons également que le mélange de deux complémentaires-pigment nous donne le noir. Autrement dit, le nerf optique compense son effort par une couleur qui, mélangée à la précédente, lui donnera son repos mérité : le noir.

Fig. 8. — Pour mieux voir le phénomène des images successives, maintenez le triangle rouge immobile au 'centre de l'espace blanc, durant une vingtaine de secondes ; regardez-le fixement ; enlevez-le rapidement et continuez à regarder le même endroit. Si vous clignez des yeux énergiquement, passées les vingt secondes, l'image successive sera très visible.

Le phénomène des images successives a également lieu, lorsqu'on l'expérimente avec d'autres couleurs. Mettez-le en pratique si vous en avez envie, en l'appliquant à de petites formes de couleur bleu cyan, jaune, bleu foncé, rouge, verte et en prouvant que l'image de la complémentaire respective apparaît toujours. On peut faire la même démonstration, avec des résultats identiques, sur des fonds de couleur noire.

CONTRASTES DE COULEUR MAXIMUM.

Rappelez-vous ce qui a été dit sur le contraste de *valeur* et le contraste de *couleur*. On sait que pour obtenir un contraste maximum *fourni par la valeur*, il suffit simplement de peindre du noir à côté du blanc. Mais si on essaie de trouver un contraste maximum *fourni par la couleur*, quelles couleurs doit-on utiliser pour cela? Bleu et vert? Rouge et jaune? Violet et rouge?

Le contraste de couleur maximum est fourni par la juxtaposition de deux complémentaires entre elles (fig. 9).

Le nombre des couleurs complémentaires entre elles est pratiquement infini; il ne se limite pas, comme on pourrait le croire, à la seule combinaison des primaires et des secondaires. Pour le comprendre, imaginez une immense roue de couleurs, composée des primaires, secondaires, tertiaires, quaternaires, etc., toutes les couleurs étant mises par ordre, l'une à côté de l'autre, en vous rappelant que chaque couleur naît du mélange de ses voisines. *Pensez alors que chacune de ces couleurs aura, dans la couleur qui lui sera opposée, sa complémentaire correspondante.*

INDUCTION OU «SYMPATHIE» DES COMPLÉMENTAIRES.

Ce qui a été dit jusqu'ici nous conduit à une conclusion finale:
L'exaltation de deux couleurs —dans leur valeur et leur couleur— mises à côté l'une de l'autre, d'une part, le phénomène des images successives, d'autre part, et de plus, ce qui a été vu sur le contraste de couleur maximum fourni par les complémentaires, nous conduit à une évidence: la vue d'une couleur quelconque crée, par «sympathie», l'apparition de sa complémentaire dans la nuance voisine.
Le célèbre physicien des couleurs, Chevreul, découvrit et normalisa cet important phénomène:

Une couleur projette sur la nuance voisine sa propre complémentaire.

Cette conclusion est si importante qu'elle nécessite pour être mieux comprise et assimilée, deux exemples pratiques. Je viens de vous dire, en citant la loi de Chevreul, qu'une couleur, le jaune par exemple, induit, teinte de bleu (complémentaire du jaune) les couleurs juxtaposées. Et inversement, un bleu violacé, dont la complémentaire est le jaune, teinte de ce dernier les couleurs qui l'entourent. Faites en vous-même l'expérience. Vous trouverez, intercalée ici, une petite carte imprimée en vert. Dans cette carte, découpez deux triangles verts, d'une dimension semblable à celle qu'indique la figure 11 ci-contre.

FIG. 10

44

Fig. 9. — **Contrastes de couleur maximum.** — Ces images nous prouvent que le contraste maximum fourni par la couleur (indépendamment du ton) est celui que présente la juxtaposition de deux complémentaires, qui d'ailleurs, pour certaines couleurs, peut être contraire aux effets de l'harmonie.

45

Placez ensuite un triangle sur le rectangle jaune, et un autre sur le bleu (fig. 10). Mettez-les au centre de chaque rectangle.

Regardez avec fixité pendant quelques instants, d'abord un triangle, puis l'autre. Vous remarquerez tout de suite, en regardant tantôt l'un, tantôt l'autre, que, bien qu'ils soient tous les deux d'un vert identique, celui qui est sur le rectangle jaune présente une légère tendance bleutée, alors que celui qui est sur le rectangle bleu présente une légère tendance jaunâtre. C'est-à-dire que le premier reçoit l'induction du bleu, complémentaire du jaune, ce qui donne un vert plus bleuté que le second, et inversement.

A quoi peut nous servir tout ceci?

Delacroix a dit un jour: «Donnez-moi de la boue et je peindrai une peau de Vénus, à condition que je puisse peindre autour les couleurs que je veux». Delacroix connaissait les lois que nous avons étudiées; il savait en effet qu'avec des couleurs déterminées pour le fond, on peut créer la sensation d'une couleur chair délicate, même si on la peint avec un ocre grisâtre, ou un gris clair, aussi sale que la boue.

DE LA THÉORIE À LA PRATIQUE

Un jour, quelqu'un demanda à Rubens de prendre comme élève un jeune garçon pauvre mais très volontaire, qui désirait beaucoup peindre.
Il ferait n'importe quoi. Il pourrait peut-être vous aider à peindre des fonds...
Il sait peindre les fonds! demanda Rubens en simulant l'admiration. Amenez-le moi immédiatement, car cela fait des années que je peins et je n'ai jamais su quoi faire pour bien peindre un fond.
Rubens, comme tous les grands artistes, pressentait déjà les théories modernes de la couleur étudiées dans cette leçon. Ce qui lui faisait trouver très délicate et compromettante la tâche, apparemment simple, de peindre un fond. On peut dire la même chose de Vélasquez et de la plupart des grands Maîtres. La «trouvaille» c'est la sensation d'espace obtenue sur les fonds, grâce au contraste et à la vibration des couleurs complémentaires.
Nous allons étudier ces théories, d'un point de vue pratique.

L'INDUCTION DES COULEURS COMPLÉMENTAIRES DANS LA PRATIQUE.

La présente étude est fondée sur un tableau à l'huile, peint par Francisco Serra, reproduit dans ce chapitre ainsi que sur la couverture du livre.

Nous voudrions faire remarquer, en plus de notre gratitude pour l'amabilité de l'artiste qui nous a permis de faire cette reproduction, que les esquisses de couleur peintes sur les figures suivantes, nos 12, 13 et 14, ne sont que des études expérimentales, réalisées pour démontrer d'une manière pratique la théorie de *l'induction des couleurs complémentaires*.

FIG. 12. — On voit ici sur fond clair, l'image d'un jeune modèle lisant un livre qu'elle tient dans ses mains ; elle est vêtue d'une blouse
blanche et d'une jupe marron. Sur fond blanc, par la loi du contraste simultané, le ton du visage reste foncé, de couleur acide, grisâtre tirant sur
le vert ; la blouse semble plus grise que blanche sale ; le livre prend
aussi ce ton gris, verdâtre... Le coloris donné à ce personnage correspond assez bien à cette idée de Delacroix parlant de «peindre avec de la
boue une peau de Vénus».

Voyons maintenant comment, en modifiant la couleur du fond, sans
repeindre ni changer en quoi que ce soit la couleur du personnage,
on peut «créer» une couleur différente, la sensation d'un coloris agréable
et normal.

FIG. 13. — Nous avons ici le résultat de la première épreuve de l'expérience sur l'induction des couleurs du fond. Nous avons peint le même personnage sur un fond rougeâtre ; nous avons aussi modifié légèrement la couleur de la jupe, en lui donnant une nuance plus rouge. Vous voyez, le résultat est mauvais ; nous ne sommes pas parvenus à améliorer le coloris de la blouse et de la tête, au contraire. Savez-vous pourquoi ? Ce fond rouge, tirant sur le pourpre, est celui qui va le moins bien à la couleur olivâtre, verdâtre du visage et de la blouse. Car cette couleur pourpre «projette sur la teinte voisine sa propre complémentaire» ; étant donné que la complémentaire du pourpre est le vert, *nous avons ajouté du vert à la couleur du personnage*, nous l'avons sali, nous lui avons nui au lieu de l'améliorer.

Essayons maintenant un fond jaunâtre, avec une gamme de tons dorés comprenant des ocres, des Siennes, des jaunes.

FIG. 14. — Ce n'est pas non plus une réussite. D'abord parce qu'ici comme sur la figure précédente, le fond prend trop d'importance, il enlève de la force au personnage et cesse d'être un fond ; et ensuite parce que les couleurs du personnage, en recevant l'induction du fond jaunâtre, se salissent, se grisent encore plus. De plus, ces couleurs du fond projettent du bleu (complémentaire du jaune), une nuance bleue qui éteint, qui rend encore plus pâle la couleur du visage, de la blouse, du personnage entier.

Voyons ce qui semble manquer à ce corps, à ce personnage pour lui enlever cette impression jaunâtre, verdâtre ; c'est précisément un rouge clair, un rouge orangé qui, *en se mélangeant optiquement* à la couleur présente, nous donnera davantage la sensation d'une couleur chair, d'une couleur plus normale. Pouvez-vous me dire quelle couleur nous devons peindre sur le fond pour que le personnage reçoive l'induction de ce rouge vif, orangé? Mais oui. C'est le bleu ; un bleu comme le *cyan*, dont la complémentaire est le rouge qui sera peint comme fond, en touches plus ou moins claires. Une série d'éléments de tonalité bleu-vert disposés autour du personnage renforcera l'impression.

FIG. 15. — Le tableau de Francisco Serra nous démontre que cette indication de couleur est la plus appropriée, celle qui par induction des couleurs complémentaires, harmonise le mieux et donne du relief à la couleur de la tête, de la blouse, de la jupe en les rendant agréables, mais aussi originales, sur le plan artistique.

Il est évident que Serra n'a pas eu à suivre ce processus laborieux, cette recherche de couleurs que nous avons imaginée ici, pour démontrer pratiquement la théorie de l'induction des couleurs. N'allez cependant pas croire que la réalisation de ce tableau lui a été aussi facile et simple que cela peut sembler à première vue quand on voit cette facture spontanée et déliée. Bien sûr que non ; malgré la grande expérience du peintre, ce tableau lui a coûté de longues heures, «des ennuis et des inquiétudes», comme il me l'a confié.

«J'avais une vieille toile délaissée —me dit-il—, sur laquelle je déposai un jour, au pinceau et au couteau, les restes de couleur qui s'étalaient sur ma palette, après avoir achevé un tableau.

Ces restes donnèrent une couleur bleutée. Au bout d'un certain temps, cette toile repassant dans mes mains, il me sembla voir dans toute cette coloration bleutée, un fond qui pourrait servir de support à une nature morte ou à un personnage. J'essayais ; je commençais à peindre le personnage d'une jeune fille en train de lire, et je l'encadrais à gros traits au pinceau, avec une couleur foncée. Puis je colorais la tête et la blouse ; j'aperçus la possibilité de donner à ce visage et à cette blouse une couleur différente de la couleur chair ordinaire ; j'essayais avec cet ocre olivâtre, gris. Le lendemain, je compris la nécessité de garder et même d'accentuer le ton vert-bleuté du fond, de le rehausser par cette tache bleu foncé de la nappe au premier plan. Tout cela, pour chercher un meilleur ton, une influence plus grande sur la couleur particulière du visage et de la blouse.»

Ce tableau prouve une totale domination de la forme, de la construction, de la science d'une peinture, qui n'est pas le moins du monde gênée par le dessin. Il montre surtout une solide connaissance de la couleur, de cette théorie que vous êtes en train d'étudier et qu'on peut définir et résumer ainsi :

Si on tient compte des lois d'induction des couleurs complémentaires, on peut modifier une couleur en changeant la couleur du fond qui l'entoure.

La même étude et le même tableau nous montre une autre conséquence importante : en peinture comme en dessin, l'artiste ne doit jamais travailler «du haut vers le bas», comme s'il peignait un mur d'un bout à l'autre. Au contraire, il doit réaliser son œuvre globalement, tout voir, peindre toutes les masses, rendre plus vive et mettre en valeur la couleur, passer par un premier état, puis, par un deuxième plus avancé, afin d'arriver à l'état achevé.

15

Il ne pourra jamais prétendre, par exemple, peindre et *achever* un personnage, sans avoir couvert et donné au moins le ton à la couleur du fond. Car ce fond, les vêtements du personnage et toute la couleur du tableau sont conditionnés par la complémentaire «de la teinte voisine».

Ne l'oubliez pas. Chevreul a écrit à ce sujet cette phrase décisive :

«Donner un coup de pinceau sur une toile n'est pas seulement teinter la toile avec la couleur que porte le pinceau. C'est aussi colorer de sa complémentaire l'espace qui est autour.»

«DE QUELLE COULEUR EST-CE?»

Il nous reste encore quelques inconnues à résoudre pour répondre de façon définitive à cette question posée à la fin du chapitre précédent. L'une d'elles, d'importance capitale sur le plan pratique, se rapporte à l'usage et à l'abus du blanc, ou du noir, qu'on mélange avec les autres couleurs ; il ne faut pas croire que, pour éclaircir une couleur, il suffit d'y ajouter du blanc, et pour la foncer d'ajouter du noir ; n'oubliez pas qu'en usant et abusant du blanc ou du noir, on se rapproche du domaine des gris, des couleurs faibles, sans contraste, sales et monotones.

USER ET ABUSER DU BLANC.

Vous ne rencontrerez sans doute jamais sur des échantillons de couleurs à l'huile, un bleu clair, un rose ou un rouge presque noir, etc. C'est évident, car on est sûr que l'artiste composera lui-même ces tons clairs ou foncés sur sa palette, en se servant du blanc et du noir.

C'est ici, dans ce mélange apparemment logique pour obtenir un bleu ciel, un rouge clair ou un rouge foncé, avec l'aide du blanc ou du noir, que commence «le piège des gris», surtout si on peint avec des couleurs opaques où, comme dans l'huile, la gouache, ou le pastel, le blanc est une couleur et intervient comme telle dans les mélanges.

«La plus grande difficulté de l'huile consiste à escamoter le blanc», dit Emilio Sala.

Car le blanc grise très certainement ; c'est un composant de base de la couleur grise au même titre que le noir. Donc, ajouter du blanc à une couleur donnée suppose que l'on fait virer cette couleur vers le gris.

Pour le vérifier, on peut prendre un exemple très simple et très concret. Il s'agit de verser deux liquides différents dans du café contenu dans deux verres. D'abord on éclaircit le café avec de l'eau ; la couleur du café devient un Sienne un peu plus clair, mais qui garde encore une teinte originale.

Au contraire, si l'on verse dans l'autre verre de café, un peu de lait, la couleur devient très différente. Elle est laiteuse, trouble, grisâtre.

Cette expérience est comparable aux procédés de l'aquarelle et de la peinture à l'huile.

16

Avec l'aquarelle, les teintes éclaircissent, deviennent transparentes, tandis qu'avec la peinture à l'huile, les teintes perdent, si on les éclaircit, leur éclat et leur intensité.

Cette expérience nous a permis de voir et de comprendre que la couleur perd de son intensité, mais aussi de sa résonnance et de sa qualité.

Ce n'est pas seulement avec du blanc qu'on obtient une couleur plus claire.

USER ET ABUSER DU NOIR.

Prenons un jaune aussi éclatant que la primaire pigment, et essayons de l'obscurcir en y ajoutant du noir. Regardez ce qui arrive :

Au début, en commençant le mélange avec du noir, le jaune se salit, se grise peu à peu ; au fur et à mesure qu'il se fond avec le noir, il nous

17

donne une teinte verdâtre, un vert sale, qui en aucun cas ne fonce le jaune, mais transforme complètement la couleur.

Imaginez maintenant comme il est facile de tomber dans ce fameux piège des gris quand on se limite à foncer ou éclaircir avec seulement du blanc et du noir usant et abusant de ceux-ci !

Pour débusquer définitivement cette énorme erreur, nous devons imiter, également dans ce domaine, les couleurs de la nature, les mélanges créés par la lumière dans la nature même.

En effet, la solution se trouve dans le spectre des couleurs. Dans le cas du jaune par exemple, on voit dans le spectre que l'obscurité vient du côté des rouges, ceux-ci devenant orangés, puis s'éclaircissant jusqu'à arriver au jaune, qui, ensuite, se fond dans les verts et les bleus. De telle sorte que la gamme parfaite d'un jaune dégradé devrait commencer par le noir, suivi du rouge violet, de la terre de Sienne, de la terre de Sienne orangée, du jaune orange, du jaune neutre, du jaune citron (mélange de jaune, de vert et de blanc) ; et enfin du blanc (fig. 18).

Comme preuve de cette théorie, regardez la figure ci-contre 19, exemple pratique de la bonne et de la mauvaise utilisation du blanc et du noir, pour éclaircir ou obscurcir les couleurs. En A, nous voyons une banane peinte uniquement avec du jaune, du blanc et du noir. A part la série des gris, des jaunes sales et verdâtres dans les parties à l'ombre, remarquez que dans les zones éclairées, le mélange du blanc et du jaune donne une couleur crème qui ne correspond pas à l'idée d'un jaune clair. La teinte originale de la couleur propre est altérée, modifiée. Par contre, observez en B la richesse du coloris, des transparences dans les ombres et la réalité des lumières, que présente cette même banane, peinte avec la gamme reproduite figure n° 18.

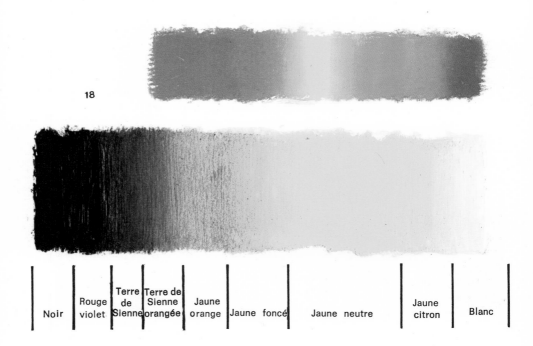

18

Noir	Rouge violet	Terre de Sienne	Terre de Sienne orangée	Jaune orange	Jaune foncé	Jaune neutre	Jaune citron	Blanc

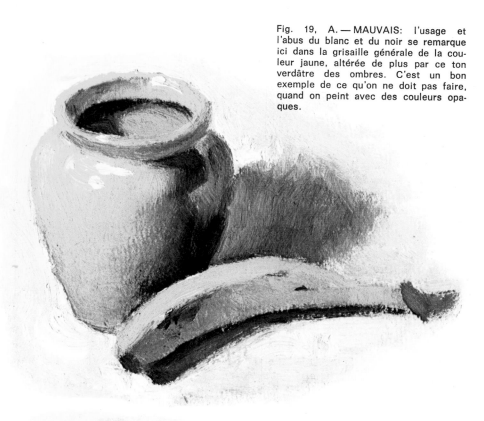

Fig. 19, A. — MAUVAIS: l'usage et l'abus du blanc et du noir se remarque ici dans la grisaille générale de la couleur jaune, altérée de plus par ce ton verdâtre des ombres. C'est un bon exemple de ce qu'on ne doit pas faire, quand on peint avec des couleurs opaques.

Fig. 19, B. — BON: tout est différent ici. Si on utilise toutes les couleurs de la palette pour obscurcir et éclaircir les jaunes du modèle, le sujet devient beaucoup plus réaliste et surtout plus riche en couleur.

La même gamme de couleurs offerte par le spectre solaire nous indique quel est le mélange le plus propre à éclaircir ou obscurcir la primaire bleu cyan. Remarquez vous-même sur le schéma ci-dessous, qui reproduit le spectre, fig. 20, que du côté clair, le bleu est limité par le vert, alors que du côté foncé, il l'est par ce bleu intense, foncé, à tendance violette, ou *bleu outremer*. Donc dans un dégradé de la couleur bleue, il devra exister une réelle tendance verdâtre (d'un vert bleuté) dans les parties claires, neutre au centre, et bleu violacé dans les parties foncées. On peut même voir dans ces parties plus foncées, un violet profond et net, avant d'entrer dans la zone totalement noire.

Comparez maintenant un objet : un pot et des fleurs de couleur bleue, peints d'abord avec seulement du bleu, du blanc et du noir, puis avec toutes les couleurs que réclame le modèle (fig. 21 A). Sur l'image du haut, le gris apparaît de toute part, surtout dans les reflets, et le manque de couleur est évident. La pauvreté de l'ensemble indique d'autre part que les mélanges sont dus à un amateur inexpérimenté méconnaissant totalement la couleur et ses possibilités. Au contraire (fig. 21 B), l'ombre est obtenue au moyen de bleus différents, mélangés à des carmins et des rouges ; les parties claires sont travaillées avec des bleus verdâtres (mélangés au blanc, bien sûr, mais sans qu'il influence, grise, étouffe, l'ensemble des coloris). Remarquez, pour finir, le coloris des ombres et des lumières réfléchies sur les deux peintures : ces verts, ces violets carmin, ces bleus de cobalt, etc., et en comparaison, la monotonie et l'irréalité des seuls noirs, gris, bleus grisâtres de la figure 21, A.

20

| Blanc | Bleu vert | Bleu cobalt | Bleu outremer | Bleu violet | Noir |

Fig. 21, A. — MAUVAIS: Un sujet bleu, peint uniquement avec cette couleur mélangée au blanc et au noir, donne une image pauvre de coloris, où dominent les gris, qui enlaidissent et cachent la véritable couleur des corps.

Fig. 21, B. — BON: Voici un résultat correct, obtenu avec une gamme de bleus pareille à celle indiquée sur la figure n° 20. Comparez cette image avec la précédente (21, A); analysez le coloris de celle-ci, remarquez en plus du noir, les verts, les différents bleus, les bruns, les violets, qui modèlent et rendent vivant le sujet.

Enfin, dans un dégradé rouge, si on prend également modèle sur les couleurs du spectre, on devra avoir d'abord le noir, puis le mélange de celui-ci avec le violet, suivi du carmin, du pourpre, du rouge, du rouge orangé, du rose (mais légèrement teinté de jaune ; attention, car c'est la couleur qui borde le rouge dans le spectre lorsqu'il s'éclaircit), suivi enfin du blanc (fig. 22).

Voici la peinture d'une tomate (fig. 23), avec en A (mauvais) l'emploi exclusif du rouge, du noir et du blanc ; et en B (bon) les couleurs du dégradé précédent qui nous prouvent une fois de plus la nécessité de contrôler ou nuancer le plus possible le blanc. Sur cette tomate mal peinte, l'abondance des couleurs roses et des rouges sales transforme le sujet en quelque chose d'irréel, en une reproduction faite d'une seule couleur. Par contre, observez la vaste gamme des orangés, des vermillons et des rouges mélangés au jaune, aux carmins et aux violets, dont l'ensemble donne l'idée d'une «tomate rouge» née de ces mélanges où il y a certes, du blanc et du noir, mais seulement en quantité exacte et nécessaire.

En résumé, ce qui importe c'est de découvrir la tendance chromatique de la couleur à éclaircir, ou à obscurcir. Cette tendance, comme vous le savez déjà, peut être influencée par la couleur propre des corps, la couleur tonale et la couleur réfléchie, à leur tour conditionnées par la couleur et l'intensité de la lumière et par l'atmosphère environnante. En tenant compte de ces facteurs, vous devez voir si les parties claires tendent vers le jaune, le rouge ou le bleu, et agir en conséquence en complétant alors le mélange par l'addition du blanc, mais en pensant toujours que ce dernier seul ne suffit pas. Il faut contrôler ou nuancer dans la mesure du possible. En ce qui concerne les parties foncées, il faut se rappeler également que :

Le noir ne suffit pas en lui-même à représenter le manque de lumière.

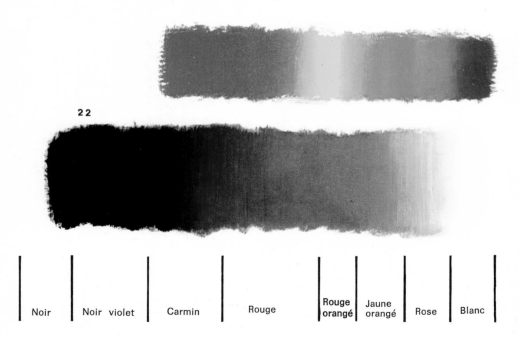

2 2

| Noir | Noir violet | Carmin | Rouge | Rouge orangé | Jaune orangé | Rose | Blanc |

Fig. 23, A. — MAUVAIS: A en juger par la forme et le dessin, ce sont des tomates. Mais une tomate n'a pas cette couleur grisâtre, sale, ces rouges gris. C'est un mauvais exercice d'amateur sans expérience, qui se limite à éclaircir le rouge avec du blanc, et à le foncer avec du noir.

Fig. 23, B. — BON: Voilà des tomates! Ce coloris vrai, ce mélange des rouges et des jaunes (et d'abord de blanc), des rouges et du carmin, et le bleu, les Sienne et les verts; voilà une fois de plus l'exemple parfait du spectre solaire et du dégradé rouge reproduit figure précédente, n° 22.

J'ai dit «manque de lumière», ce qui suppose que nous entrons dans le domaine des ombres, l'étude de la couleur des ombres.

Rembrandt, le «maître du clair-obscur», a dit avec raison que la couleur donnée aux lumières n'a pas d'importance, du moment qu'on peint les ombres avec la couleur qui correspond à chaque lumière. Il peignait parfaitement bien, savait indiquer avec intelligence les formes et la couleur, grâce à quoi il donnait aux ombres la couleur exacte correspondant aux lumières.

Dans le prochain chapitre, nous traiterons ce sujet avec l'importance qu'il mérite. Nous continuerons à débroussailler le chemin, à résoudre les nouveaux et derniers problèmes qui nous permettront de répondre enfin d'un seul coup à la question: «De quelle couleur est-ce?». Cependant, avant de l'entamer, ne cessez pas de penser aux couleurs, de les analyser. Regardez-les, étudiez-les, en les passant par le tamis des connaissances que vous avez acquises jusqu'ici. Cherchez les complémentaires, observez les contrastes, contemplez-les au moins comme le plus beau don de la Nature.

Comme le faisait Van Gogh, dans une lettre à sa mère:

«Je suis entièrement absorbé
par ces plaines immenses
des champs de blé,
verts comme la mer,
d'un jaune si tendre,
d'un vert si pâle,
d'un mauve si doux,
avec une partie de la terre labourée,
sous un ciel bleu,
qui donne aux lumières des tons blancs,
roses, carmin, violets.
Je me sens très tranquille, maman,
lorsque je contemple tout cela.
J'ai une grande envie
de peindre, maman.»

Troisième chapitre

Étude des couleurs
couramment utilisées par l'artiste.

La couleur des ombres.

A Paris, si l'on traverse la Place de la Concorde et si l'on pénètre dans le Jardin des Tuileries, à gauche, se trouve le Musée du Jeu de Paume. C'est là que se situe le temple de l'Impressionnisme.

Pourtant les Impressionnistes furent très mal accuellis au début. La première exposition, boulevard des Capucines, le 15 Avril 1874, ne recueillit que des quolibets et des critiques. Un critique affirma que tout le groupe des Impressionnistes semblait déclarer la guerre à la beauté.

Ils ont découvert pourtant que le tableau est, et doit être, lumière. On les a appelés «les clairs», parce qu'ils ont nettoyé leurs palettes des couleurs de bitume et des noirs de fumée, et mis à la place la transparence diaphane des bleus cobalt et outremer. Ils ont été les premiers à appliquer, sans limitation, les découvertes de Chevreul et les essais de Delacroix. Un beau jour, Manet déclara :

La lumière du soleil est jaune et l'ombre est bleue. Dans toute ombre apparaît toujours la couleur complémentaire de celle qui domine dans la lumière.

Vous allez apprendre, dans quelques instants, l'un des aspects sans doute le plus difficile de l'art de la peinture : la couleur de l'ombre. Pour que cet enseignement soit plus efficace, nous effectuerons cette étude à l'aide d'une série d'exemples entièrement en couleur, que j'ai peints à l'huile avec les primaires, secondaires, tertiaires, sans rester soumis aux mélanges obtenus uniquement par la combinaison du bleu cyan, du pourpre et du jaune et que je vous commenterai.

Auparavant, il est bon de faire une parenthèse pour énumérer et analyser les couleurs employées le plus couramment par l'artiste.

LES COULEURS COURAMMENT UTILISÉES PAR LE PROFESSIONNEL

J'ai choisi pour cette étude une série de couleurs à l'huile, la couleur à l'huile étant la reine de la peinture à partir de laquelle on a toujours nommé, défini et classifié tous les autres types de peinture, que ce soit l'aquarelle, la gouache (1), le pastel, les crayons de couleur, etc.

Regardez sur la figure ci-contre, n° 1 de cette troisième partie, le tableau des couleurs fondé sur une sélection des couleurs d'usage le plus courant.

Remarquez que les échantillons des couleurs, présentées par les fabricants de peinture à l'huile, comprennent un nombre de couleurs bien supérieur à celui qu'indique notre figure 1. Une carte d'échantillons peut offrir un ensemble de plus de 50 couleurs différentes. Il est normal qu'aucun artiste ne travaille avec une source aussi vaste de possibilités ; on peut dire qu'une gamme aussi étendue obéit : 1°, à la nécessité et à la faculté pour l'artiste de choisir les couleurs qu'il considère d'usage courant (point qui offre de particulières différences de critère même s'il y a un grand rapport dans le choix) ; et 2°, à la possibilité pour cet artiste de choisir et d'élargir son assortiment courant par une ou plusieurs couleurs spéciales, particulièrement appréciées parce qu'elles s'adaptent mieux que d'autres soit au style pictural de l'artiste, soit à un sujet dans lequel l'artiste s'est spécialisé ; il faut donc un coloris déterminé (cas du peintre de personnages, ou uniquement de portraits, etc.).

Nous donnons, sur le tableau ci-contre, un total de 13 couleurs —le blanc inclus— que nous considérons d'usage le plus courant ; remarquons pourtant que cet assortiment pourrait être encore réduit à seulement 10 couleurs. Pour vous rendre plus facile cette possibilité de réduire le choix, j'ai indiqué par un astérisque les 10 couleurs indispensables, en supposant par conséquent que pour épurer l'assortiment, on peut enlever les trois autres.

---

(1) La «gouache», appelée aussi **tempéra,** est une catégorie de peinture qui a un certain rapport avec l'aquarelle; comme celle-ci, elle se dilue à l'eau mais par contre, elle est opaque et conserve une certaine ressemblance, en beaucoup plus raffiné, avec les terres ou «peinture à la colle» qu'utilisent les peintres en bâtiment. Elle se vend en tubes ou en petits flacons de verre. On l'utilise aussi bien dans le domaine artistique que publicitaire. Nous étudierons ce procédé avec plus de détails le moment venu.

TABLEAU DES COULEURS D'USAGE COURANT

Jaune de cadmium citron   * Jaune de cadmiun moyen   * Ocre jaune

Terre de Sienne naturelle   Terre de Sienne brulée   * Terre d'ombre brûlée

Rouge de cadmium moyen   * Carmin de garance foncé   * Vert émeraude

* Bleu de cobalt foncé   * Bleu d'outremer foncé   * Bleu de titane

A cette liste, il faut ajouter le blanc de titane.

A propos de ce tableau, essayons maintenant de répondre à la question de notre amateur imaginaire qui trouve curieux que l'artiste, puisqu'il peut composer toutes les couleurs avec seulement les trois primaires bleu cyan, pourpre et jaune, dispose d'une palette importante.

Il faut d'abord dire que, dans un assortiment de couleur semblable à celui que nous venons de donner, il existe une forte prédominance du jaune, du rouge et du bleu, ainsi que vous pouvez vous en rendre compte en examinant de nouveau la liste. Donc, la primauté des trois couleurs indiquées continue à être démontrée.

De plus, il faut dire qu'un tel assortiment de couleurs, utilisé en connaissance de cause, simplifie extraordinairement le travail du mélange et de la composition des couleurs. Si on peignait seulement avec les trois primaires, pour obtenir par exemple une couleur comme l'ocre jaune, il faudrait mélanger le bleu et le jaune en proportions inégales, y ajouter ensuite du pourpre, composer et recomposer, ajouter au mélange obtenu un peu de blanc.

Enfin, chacune de ces couleurs non primaires a, en réalité, une nuance très particulière, très difficile à obtenir si on doit l'imiter en mélangeant les primaires. Chimiquement, cette imitation mathématique serait même impossible, car les composants chimiques sont différents pour chaque couleur. Par exemple, l'ocre jaune est composé de terres naturelles qui doivent subir une préparation spéciale alors qu'il y a dans le bleu de Prusse, du cyanure de fer, dans le pourpre, de la laque de cochenille, et dans le jaune, du sulfure de cadmium ; ces trois composés chimiques, pour autant qu'on les mélange, ne peuvent donner la teinte exacte que fournit la composition chimique de l'ocre jaune.

Nous allons vous donner une brève explication sur chacune des couleurs du tableau, et parler des nuances et des propriétés de chaque couleur mélangée à d'autres, démontrant ainsi qu'il est pratique et nécessaire de peindre avec plus de trois couleurs.

BRÈVE ÉTUDE SUR 13 COULEURS CONSIDÉRÉES COMME TRÈS COURANTES.

Cette étude se rapporte aux couleurs en général, car on considère que ces tons et ces nuances sont communs à n'importe quelle catégorie de procédés de couleur. Dans toutes les boîtes d'aquarelle, tous les assortiments de pastilles, de flacons ou de tubes de gouache, boîtes de pastels ou de crayons de couleur, vous trouverez ce même jaune de cadmium clair, ce même ocre jaune, ce bleu de cobalt, cet outremer, fabriqués avec le même matériel ou un autre très semblable, et portant même, en général, un nom identique.

BLANC D'ARGENT, BLANC DE ZINC, BLANC DE TITANE.

Il existe normalement trois catégories de blancs dans la peinture à l'huile, définis par le nom de blanc d'argent, blanc de zinc et blanc de titane. Il faut savoir que le blanc d'argent est plus opaque, qu'il couvre davantage et sèche plus vite que le blanc de zinc ; il permet de peindre avec une texture de donner à la peinture une pâte épaisse, mais il a le désavantage de noircir en présence d'émanations sulfureuses ; une fois recouvert, cet inconvénient disparaît ; il devient alors excellent pour la préparation de fonds. Le blanc de zinc est plus transparent, plus fluide, mais présente la difficulté de sécher beaucoup plus lentement, ce qui peut compliquer l'exécution de l'œuvre. Le blanc de titane a une composition intermédiaire, ce qui le fait utiliser davantage que les deux précédents.

Dans tous les types de peinture opaque, comme l'huile, la gouache, le pastel, on utilise beaucoup de blanc car il intervient dans presque tous les mélanges. Pour cette raison, la taille des tubes de blanc est plus grande.

Pour continuer cette étude des couleurs, consultez je vous prie les reproductions des pages suivantes. Chacune d'elles présente une série de franges (fig. 2 à 13), qui étudient une couleur et les teintes qu'on obtient, lorsqu'elle est mélangée à d'autres.

Observez ces illustrations, tout en lisant les textes suivants ; confrontez les références que vous donne le texte aux noms indiqués sur chaque figure.

JAUNE DE CADMIUM CITRON ET JAUNE DE CADMIUM MOYEN.

Regardez ces deux jaunes tels qu'ils sont au sortir du tube (fig. 2 et 3) et remarquez la notable différence entre la teinte de l'un et celle de l'autre : le jaune de cadmium citron (fig. 2, A) est plus clair avec une légère tendance au vert ; le cadmium moyen (fig. 3, B) est plus foncé et tire sur l'orange. Ces tendances confirment ce que nous avons appris dans le chapitre précédent en commentant la figure 18 : étant donné la place du jaune dans le spectre, le jaune clair tend vers le vert et le foncé se rapproche du rouge.

Lorsqu'on peint, il faut se souvenir de ces différences de base car, ainsi que nous allons le voir, les mélanges faits avec d'autres couleurs réfléchissent toujours la couleur du jaune utilisé dans chaque cas.

Commençons par voir sur ces figures qu'en mélangeant ces jaunes avec du blanc, la coloration résiste ; dans le cas du jaune citron, il vire imperceptiblement au vert ; alors qu'avec le jaune de cadmium, la couleur originale s'altère et donne une sorte de couleur crémeuse.

Observez ensuite qu'en mélangeant le jaune citron avec de l'ocre, du blanc et du rouge, on peut obtenir une large gamme de couleurs chair.

Si on passe au mélange avec du rouge et du carmin, on observe que le cadmium moyen enlève de l'éclat aux oranges, surtout lorsqu'il est mélangé au carmin de garance.

Mais l'influence de chaque couleur est la plus évidente dans les mélanges avec le vert émeraude et les trois bleus : bleu de cobalt, d'outremer et de titane. Arrêtez-vous à cette partie des figures 2 et 3 ; remarquez de quelle façon le jaune citron arrive à cette magnifique variété lumineuse de verts, verts clairs, brillants ; alors que dans les mélanges de la frange inférieure, réalisés avec le jaune de cadmium moyen, les verts sont plus gris, tirent davantage sur le vert bronze, sur les verts d'un paysage en fin d'après midi.

De plus, remarquez que, quand ils sont mélangés avec les bleus de cobalt et l'outremer, il se produit une décoloration notable, les verts deviennent gris et foncent sensiblement. Remarquez que j'ai mélangé ici un peu de blanc pour rendre plus évidente cette impression de couleur sale, grisâtre (C et D). Connaissez-vous la raison de cette tendance au gris sale? Vous l'avez déjà devinée: c'est parce que les bleus violacés sont complémentaires des jaunes. Celui qui se rapproche le plus de ce cas est justement le bleu outremer; il salit et il fonce davantage, ce qui correspond à la règle générale: le mélange de deux complémentaires donne du noir.

Étudiez tous ces effets. Rappelez-vous, par la suite, que vous pouvez «éclairer» par le jaune cadmium citron, «foncer, dorer, oranger» par le jaune cadmium moyen. Gardez présentes à l'esprit les différentes gammes de verts et que pour obtenir un vert clair, brillant, il faut avoir recours au jaune citron; pour obtenir des verts dorés, bronze, etc., au jaune de cadmium moyen. Rappelez-vous, de plus, que ces verts-verts s'obtiennent plus facilement avec le vert émeraude et le bleu de titane; que l'outremer étant complémentaire du jaune, nous donnera donc des verts sales, grisâtres, des verts très adequats dans certains cas: pour le vert des ombres, les verts éloignés et terreux, etc.

OCRE JAUNE ET TERRE DE SIENNE BRÛLÉE.

Regardez ces deux couleurs au sortir du tube, fig. 4 et 5. Remarquez que, si on mélange l'ocre jaune avec du carmin de garance et un peu de blanc, on peut parfaitement obtenir la terre de Sienne brûlée (fig. 4, A); qu'en mélangeant la terre de Sienne avec du jaune et un peu de blanc, on obtiendra l'ocre jaune précédent (fig. 5, B). Ce sont deux couleurs voisines, séparées par la tendance de l'une vers le jaune et de l'autre, vers le carmin. Cette ressemblance nous donne déjà la portée qui conditionne le mélange de ces couleurs avec les autres. Dans les mélanges avec l'ocre, il y aura toujours une certaine participation jaune, un résultat qui rappellera la joie et la luminosité du jaune, dans un ton mineur. Dans les mélanges avec la terre de Sienne brûlée, la tendance sera plus foncée, et s'échappera du jaune pour passer au rouge, au carmin.

Dans l'une et l'autre couleurs, il y a du blanc, davantage dans l'ocre que dans la terre de Sienne brûlée. Dans l'une et l'autre également, du bleu. Conséquence: les deux couleurs ont une tendance, dans leurs mélanges avec les autres, à griser, à enlever de la vivacité aux jaunes, aux rouges et aux bleus, dans leur nuance particulière bien sûr, ocre pour l'une et Sienne brûlée pour l'autre. On peut facilement se rendre compte de ces effets sur les gammes que présentent les illustrations:

sur la figure 4, on voit que l'ocre, mélangé au blanc et au rouge, donne des teintes très appréciées pour peindre la couleur chair.

FIG. 2: JAUNE CITRON

Bleu outremer

Bleu de titane

Bleu de cobalt

FIG. 3: JAUNE CADMIUM MOYEN

Bleu outremer

Bleu de titane

Bleu de cobalt

En mélangeant l'ocre avec du rouge ou du carmin, on éteint la vivacité de ces deux couleurs, qui s'additionnent pour donner une gamme de terres de Sienne, indispensable à la palette de l'artiste.

Avec le vert émeraude, l'ocre donne des verts grisâtres, suffisamment lumineux pourtant pour peindre certaines lumières ; de même qu'en le mélangeant au bleu de titane, il peut donner cependant un vert plus foncé encore, un vert dominé par une nette tendance au gris, mais qui conserve pourtant la teinte forte, la tendance jaunâtre de l'ocre. Enfin, quand on le mélange aux bleus de cobalt et à l'outremer, l'ocre jaune donne des bruns et même des gris, comme ont le voit en C.

Observez d'autre part la gamme des tons, que donne le mélange de la terre de Sienne brûlée et les couleurs de la figure 5. Remarquez d'abord la couleur saumon, qu'on obtient en ajoutant à cette terre de Sienne brûlée, du blanc (D). Remarquez la monotonie du mélange avec le jaune, le rouge et le carmin, et au contraire la richesse des tons gris obtenus par le mélange avec le vert émeraude et les bleus. Remarquez qu'ici, le vert émeraude (complémentaire approximatif de notre couleur) donne le noir ou un ton très foncé (E) ; qu'à partir de ces couleurs et des variantes que donnent les bleus de cobalt et l'outremer, suivant la prédominance de l'une ou l'autre couleur, et en les mélangeant avec du blanc, on obtient une très riche gamme de gris et de bruns, de tons qui sont très souvent indispensables pour peindre des ombres, pour contribuer à créer dans les parties sombres du modèle, l'idée de «lumière et d'ombre».

Terre de sienne naturelle.

On peut voir sa couleur originale, au sortir du tube, sur la figure suivante, n° 6, et remarquer qu'elle est très proche de l'ocre jaune déjà étudié, avec la seule différence qu'elle est plus foncée dans la même nuance. Cela ne l'empêche pas de donner également une large gamme de couleurs chair, lorsqu'elle est mélangée au blanc, au jaune et au rouge (A). De plus, remarquez sa faculté de foncer en grisant, surtout lorsqu'elle est mélangée aux bleus, ce qui donne alors des gris verdâtres de grande qualité.

Rouge et carmin de garance.

Il n'est pas nécessaire de décrire ces couleurs déjà bien connues, mais regardez-les pourtant, et comparez-les, sur les figures 7 et 8. Observez la tendance marquée au bleu, qu'a le carmin de garance (ou pourpre), couleur primaire qu'on ne peut composer avec l'aide d'aucune autre.

Nous avons déjà vu les résultats que donnent ces couleurs une fois mélangées aux jaunes et aux ocres (fig. précédentes 2, 3, 4 et 6). Cependant, cela vaut la peine de s'arrêter à cette touche de carmin combiné au jaune citron et au blanc (A). Étudiez ici la possibilité d'obtenir, sans autres teintes, une large gamme de couleurs chair, de couleurs crème,

FIG. 4: OCRE JAUNE

FIG. 5: TERRE DE SIENNE BRULEE

FIG. 6: TERRE DE SIENNE NATURELLE

orangées et rouges, et pensez par conséquent à la nécessité de vous souvenir du carmin, non seulement pour obscurcir, mais pour parvenir à des nuances que nous commenterons bientôt, et aussi pour influencer et teinter des couleurs claires correspondant à des lumières vives. N'oubliez pas non plus le rose lumineux, que donne le mélange du blanc et du carmin (B).

Essayons maintenant d'étudier les tendances qu'on obtient en mélangeant ces couleurs aux verts et aux bleus. Remarquons d'abord que le rouge, comme le carmin, ont une tendance au noircissement, lorsqu'ils sont mélangés au vert émeraude, celui-ci étant complémentaire; surtout le carmin par rapport au vert émeraude. Remarquons aussi qu'en C, où le noir domine, le carmin a été mélangé au vert émeraude et à la terre d'ombre brûlée (attention : ne confondez pas la terre d'ombre brûlée à la couleur étudiée précédemment, terre de Sienne brûlée). Notez ensuite cette combinaison propre à obtenir un noir parfait :

carmin + vert émeraude + terre d'ombre brûlée = noir

Un noir profond, plus parfait que le noir lui-même, en raison de ce qu'il *peut être influencé*, c'est-à-dire avoir une certaine tendance —très légère— au carmin, comme au brun ou au vert ; un noir qui est toujours plus en accord avec le noir que peut présenter le modèle. N'oubliez pas cette formule.

Pensons enfin à l'étude des violets et des bruns, que donne le mélange du rouge ou du carmin combinés avec les bleus et plus ou moins de blanc. Les voici ; remarquez que ces violets et ces bruns sont moins propres quand ils sont composés par le rouge que lorsqu'ils le sont par le carmin ; il faut, de nouveau en rechercher la cause dans la loi des complémentaires, le rouge à tendance orangée étant davantage complémentaire du bleu. Étudiez cette différence ; comme la couleur des violets et des bruns donnés par le carmin est plus propre, elle rend également ces bruns très lumineux, fins, transparents. Pensez à ces différences, au moment de peindre des ombres transparentes et songez que ces couleurs sont présentes dans la plupart des parties d'un modèle, à l'ombre.

Remarquez enfin que le mélange du carmin et du bleu de titane donne un violet presque aussi foncé que le noir (D). Ce noir est en quelque sorte la conséquence de la loi des complémentaires, car le bleu de titane est proche du vert, et le vert est la complémentaire du carmin.

TERRE D'OMBRE BRÛLÉE.

Arrêtons-nous une nouvelle fois ici pour voir d'abord, sur la figure 9, que cette couleur est très proche du noir, avec la différence qu'il existe dans sa teinte, une nuance terreuse marquée, brun foncé. Cette nuance est très évidente dans les mélanges avec le blanc, et les deux jaunes reproduits à côté de la couleur qui sort du tube. Remarquez la qualité de ces colorations, de ce gris brûlé que donne le mélange de la terre avec

FIG. 7: ROUGE DE CADMIUM

FIG. 8: CARMIN DE GARANCE

le blanc ; de ces jaunes qui virent au vert aigre, qui se transforment en une sorte de vert olive jaunâtre. Ces premiers tons nous font vraiment comprendre que cette terre d'ombre brûlée est une couleur qui a beaucoup de caractère, et qui nous aidera énormément.

En effet, à part son rôle dans la composition artificielle du noir, la terre d'ombre brûlée est idéale pour rompre les couleurs stridentes ; c'est la couleur qui, par excellence, «fabrique» le mieux les gris : ce qui peut être un danger entre les mains d'un amateur sans expérience, mais un avantage inestimable dans celles d'un professionnel capable de l'utiliser avec mesure, une mesure indispensable. C'est une couleur absolument nécessaire, qui supplée le noir sans l'être du tout.

Remarquez enfin que la terre d'ombre brûlée étant une couleur très foncée, il est facile de composer avec elle un noir parfait, fondé sur la combinaison suivante :

terre d'ombre brûlée + carmin + bleu de titane = noir

Comme vous avez saisi, on peut influencer la couleur de ce noir, par une touche bleutée ou brune, selon le modèle.

VERT ÉMERAUDE.

L'importance du vert est telle que je n'hésiterai pas à la proclamer aussi nécessaire que l'une des primaires bleu, rouge et jaune. En effet, il est réellement indispensable, et, justement, dans cette nuance qu'on appelle émeraude ; c'est un vert légèrement bleuté (regardez-le, fig. 10), qui sert par conséquent dans toutes les opérations visant à obtenir de larges gammes de verts, en combinaison avec les jaunes, et à verdir les bleus par le mélange avec les cobalt, outremer et titane.

Le mélange avec du blanc donne une fine couleur vert-bleu (A), qui, avec le jaune citron, permet de peindre des verts pâles d'une grande qualité lumineuse.

Avec les bleus et du blanc, il nous donne des gammes de verts-bleus très riches qui, avec les jaunes, peuvent aboutir à une très large gamme de verts. Regardez sur cette figure la beauté de ces bleus teintés de vert émeraude. De plus, ce vert donne des noirs veloutés, comme nous l'avons vu dans les formules précédentes, lorsqu'on le combine à la terre d'ombre, au carmin et au bleu de titane (B).

C'est une couleur qui intervient dans de nombreuses ombres claires et foncées pour les rendre transparentes ; c'est finalement une couleur présente sur la palette de chaque artiste expert. C'est le seul vert qui vous sera indispensable pour obtenir tous les verts imaginables.

FIG. 9: TERRE D'OMBRE BRÛLÉE

FIG. 10: VERT ÉMERAUDE

BLEU DE COBALT FONCÉ,
BLEU OUTREMER FONCÉ,
BLEU DE TITANE.

Pour finir, nous allons étudier les caractéristiques de ces trois bleus, qui sont les plus employés en peinture.

Disons tout d'abord que le bleu de cobalt foncé, comme le bleu outremer foncé, se fabriquent également dans les teintes claires ; ajoutons que la nuance du bleu de titane est très proche de celle du bleu de Prusse. On sait que la composition chimique de ce dernier est susceptible d'être altérée sous l'action du temps, qu'il noircit légèrement dans certains mélanges avec des jaunes et des rouges, chose qui semble moins probable si on utilise le bleu de titane.

Il apparaît que les résultats donnés par le mélange de ces bleus avec les autres couleurs ont déjà été exposés et illustrés par les figures précédentes. Nous nous limiterons donc à l'étude de la nuance réelle de chacun de ces bleus, et de leur influence dans les mélanges avec les autres couleurs.

Pour mieux voir et mieux étudier ces effets, j'ai dégradé les trois bleus avec du blanc et je les ai mélangés ensuite à du carmin avec un peu de blanc, composant ainsi un violet pour chacun des trois. (Regardez ces effets et ces couleurs sur les fig. 11, 12 et 13.)

J'espère que la reproduction de ces dégradés parviendra à vous faire remarquer :

1.º *La neutralité du bleu de cobalt.*
2.º *La tendance violette du bleu outremer.*
3.º *La tendance verdâtre du bleu de titane (ou de celle du bleu de Prusse).*

Du point de vue pratique, voilà ce dont vous devez tenir compte.

LE BLEU DE COBALT : UN BLEU BLEU.

Pour saisir cette idée de «bleu bleu», il faut mettre en rapport celui-ci et tous les bleus, dans leur large participation à n'importe quelle couleur foncée, aux parties à l'ombre d'un modèle, par exemple. Nous y verrions que plus le bleu de cobalt intervient, plus ces ombres sont lumineuses, transparentes, pures et sans reflets d'autres couleurs. Imaginez un corps blanc —une maison, un vêtement, un monument—, d'un blanc éclatant comme celui des murs blanchis à la chaux, et imaginez ce corps en plein soleil, par un jour clair et vif, et vous serez sûr que les ombres de ce corps, qu'elles soient grisâtres, bleutées ou violettes, comporteront dans leur composition du bleu de cobalt. Supposez une tache d'un bleu lumineux, d'un bleu clair dans la nature, baigné par le soleil, en pleine lumière : et le bleu de cobalt apparaîtra de nouveau ; un bleu neutre, fait de lumière et de clarté, non un bleu puissant, effronté comme le bleu de titane, mais fin, doux.

FIG. 11: BLEU DE COBALT FONCÉ

FIG. 12: BLEU OUTREMER FONCÉ

FIG. 13: BLEU DE TITANE

LE BLEU OUTREMER : UN BLEU VIOLET.

Entre un gris obtenu par le bleu de cobalt et un gris peint avec de l'outremer, vous verrez intervenir dans ce dernier la couleur carmin, comme si elle faisait vraiment partie du bleu outremer. Cette tendance marquée explique par elle-même pourquoi il faut l'employer dans les ombres plutôt opaques, solides, même foncées.

Ce n'est pas le bleu des lumières réfléchies mais des lumières une peu mortes. C'est le bleu des eaux profondes, des ombres et des lumières lointaines, un bleu qui semble refroidir les corps. Mais ne nous perdons pas dans des distinctions qui, en fin de compte, sont byzantines. Du point de vue pratique, vous devez voir dans votre modèle si le bleu, ou les parties foncées qui demandent du bleu, tendent au *bleu neutre* du cobalt ou au *bleu violet* de l'outremer. Puis vous agissez en conséquence.

LE BLEU DE TITANE : UN BLEU ÉCLATANT.

C'est le bleu qui teinte le plus, qui a le plus d'influence, c'est le plus violent des trois. Un bleu très intense, capable d'envahir le champ de n'importe quelle autre couleur, mais capable également, s'il est employé avec prudence, de donner des tons d'une extraordinaire transparence. Il est criard et dangereux quand on le laisse dominer, mais voyez par vous-même quels verts (fig. 2 et 10), quels noirs et quels gris (fig. 9, dans les mélanges avec la terre brûlée), quels bruns et quels violets vraiment éclatants il peut donner.

Il a, sans aucun doute, combiné au blanc, la propriété de griser et d'éclairer en même temps n'importe laquelle des couleurs auxquelles il est mélangé. Souvenez-vous en au moment de peindre des tons foncés ou des teintes à l'ombre. Mais n'en abusez pas, ou vous aboutiriez à des tons criards, préjudiciables à l'harmonie artistique de votre tableau. Par contre, pensez à la possibilité de le mélanger aux autres bleus.

* * *

Et le noir? Il n'y a pas de noir dans les couleurs à l'huile?

Bien sûr, il y en a, mais à quoi bon s'exposer à l'employer puisqu'on court le danger de tout griser, de tout salir ; pourquoi le faire, de plus, si on peut facilement l'obtenir, comme nous l'avons vu, et dans une meilleure intention de coloriste, en mélangeant le carmin, la terre d'ombre brûlée, le vert émeraude, le bleu de titane ou le bleu de Prusse?

Donc, on interdit le noir? En effet ; pour le moment, si on peint à l'huile. Plus tard, lorsque votre expérience se sera affirmée, vous pourrez y recourir dans certains cas ou pour des effets donnés.

ET MAINTENANT, OUI, MAINTENANT ON PEUT PEINDRE !

Nous savons maintenant ce que donnent les couleurs couramment utilisées par l'artiste ; nous pouvons donc peindre sans difficulté et poursuivre cet enseignement pratique de la couleur.

Fig. 14. — Voici un modèle simple et propre à l'étude de la couleur des ombres. Il a été peint à l'huile, à la lumière naturelle.

Voyons, choisissons un modèle :

Voilà un sujet simple : un plat en céramique de couleur jaune ; deux bananes et quatre pommes rouges, tout cela placé sur une nappe blanche et exposé à une lumière naturelle venant de côté, propice à créer des ombres, afin de pouvoir étudier et analyser leur couleur (Fig. 18). Car c'est notre problème.

COMMENT PEINDRE LA COULEUR DES OMBRES.

Je suis en train de peindre. Je me demande maintenant : « De quelle couleur est-ce ? » Lorsque je peins la couleur propre de chacun de ces objets, les parties éclairées du plat, des pommes, de la nappe, etc., la réponse se fait sans hésitation ; le problème, pour en être un, n'est pas difficile. Le plat est jaune verdâtre ; les pommes sont rouge carmin, avec des parties ou des taches jaunes, la nappe est blanche... Que la couleur de mon plat, ou que le jaune des bananes soit légèrement différent de celui du modèle, qu'il soit plus vif, plus jaune citron ou orangé, cela n'a pas en fait une grande importance. On sait que personne ne voit les couleurs de façon identique et que, d'autre part, chaque artiste a sa palette, sa tendance chromatique personnelle et particulière, de telle sorte que ce même sujet du plat et des pommes, suivant qu'il sera peint par l'un ou l'autre, présentera au départ, dans ses couleurs locales, certaines différences, quelquefois même importantes.

Mais ce qui ne tolère pas de variations, ce qui doit se soumettre à un parfait rapport de coloris, c'est la couleur des ombres. Si vous pouvez peindre des ombres réelles, des ombres dans leur rapport exact entre les couleurs locales, tonales et réfléchies, vous pourrez dire que l'art de la peinture n'a plus de secrets pour vous; vous êtes en mesure de répondre définitivement à la question: «De quelle couleur est-ce?».

Dorénavant, quand vous rencontrerez le problème décisif de la couleur à donner aux parties à l'ombre, rappelez-vous que:

Dans la couleur de n'importe quelle ombre, il existe un mélange des couleurs suivantes:

A)   le bleu, présent dans toute obscurité,

mélangé à

B)   la couleur propre dans un ton plus foncé,

mélangés à leur tour à

C)   la complémentaire, pour chaque cas, de la couleur propre.

Pour rendre plus compréhensible l'application de ces données, on me permettra maintenant de peindre le sujet précédent, mais en le faisant de façon didactique: en essayant de montrer, en trois tableaux, qu'il existe les trois couleurs de la formule précédente dans la couleur des ombres. Imaginez que vous puissiez analyser séparément ces trois étapes, puis en faire la synthèse. Étudions d'abord la présence du· bleu dans toute ombre.

COULEUR A): LE BLEU, PRÉSENT DANS TOUTE OMBRE

«TOUT EST VRAIMENT BLEU»

Ainsi parle-t-on dans le premier chapitre, lors de l'étude du facteur essentiel, «intensité de la lumière», en démontrant que, lorsque la lumière diminue, l'intensité des couleurs diminue également; et on ajoute que

la diminution de l'intensité de la lumière naturelle aboutit à une lumière bleutée, qui imprègne de bleu toutes les couleurs.

Il en est bien ainsi. Il suffit de regarder un paysage au crépuscule, lorsque la lumière de la nuit l'envahit, pour se rendre compte que la couleur de tous les corps tire sur le bleu foncé, qu'ils semblent tous mélangés au bleu, que tout est vraiment bleu.

Regardez le bleu sur la figure 15 ci-contre, l'importante quantité de bleu qui intervient dans cette reproduction de notre sujet.

Remarquez que, même les couleurs propres comme l'ocre, le carmin des pommes, y compris le blanc de la nappe, n'échappent pas à cette in-

Fig. 15. — Voici un exemple de l'intervention du bleu dans toutes les couleurs du modèle, et tout particulièrement dans celles des ombres. Rappelez-vous dorénavant cette influence décisive et admettez pour principe, sans même avoir à analyser la couleur que présente le modèle, que mélanger du bleu aux couleurs est indispensa- ble ; il est nécessaire de mêler du bleu aux tons et aux couleurs des ombres.

fluence du bleu. Remarquez surtout l'intensité qu'atteint le bleu dans les parties d'ombre. Pensez-y et souvenez-vous en : *Généralement, l'ombre est bleue*. Déterminez vous-même, en regardant votre modèle, si ce bleu doit être propre et neutre comme le cobalt, verdâtre comme le titane ou violet comme l'outremer. La couleur propre et la couleur réfléchie du corps que vous êtes en train de peindre vous le diront ; vous serez tout à fait capable de saisir ce ton neutre, verdâtre ou violet si vous pensez que le cobalt et le Prusse éclaireront l'ombre, alors que l'outremer aura tendance à la griser, à lui enlever de la couleur.

COULEUR B) : LA COULEUR PROPRE DANS UN TON PLUS FONCÉ

«Jaune citron, jaune orange, sienne, rouge violet et noir».

Dans le chapitre précédent, sous le titre «User et abuser du noir», en examinant la manière de foncer réellement une couleur, nous disions que cet obscurcissement *doit se fonder sur un dégradé du spectre*, et non sur l'emploi du noir qui salit la couleur.

C'est donc à cela que je me réfère maintenant, pour parler de cette couleur qui existe dans toute ombre : la couleur propre dans un ton plus foncé.

Vous savez déjà ce qu'il faut entendre par couleur propre : il s'agit de la couleur d'origine, le rouge d'une tomate rouge, le jaune de ces deux bananes, etc. Vous savez donc aussi ce qu'il faut entendre par couleur propre *dans un ton plus foncé*. Pour ces bananes par exemple, la couleur propre dans un ton plus foncé pourra être un jaune ocre, ou une Sienne rougeâtre, ou une couleur terre foncée, etc. (Voyez, pour plus de précisions, le dégradé de la couleur jaune, reproduit chapitre **précédent**.)

Sur la figure **16** ci-contre, vous pouvez voir le résultat, obtenu après avoir peint la nature morte au plat, aux bananes et aux pommes avec cette couleur propre dans un ton plus foncé.

Remarquez par exemple, la couleur du plat de céramique : pour les parties qui recoivent de la lumière, c'est un ocre jaune ; **pour** celles à l'ombre, j'ai peint avec cette même couleur propre,... mais dans un ton plus foncé, c'est-à-dire une Sienne claire. Pour les bananes, tandis que les parties qui reçoivent la lumière directe présentent un jaune vif, les parties à l'ombre sont peintes avec ce même jaune, mais dans un ton plus foncé, c'est-à-dire un ocre orangé. On peut en dire autant pour les pommes.

Remarquez en passant, sur cette illustration, la constance picturale des couleurs réfléchies, partie importante dans le jeu lumière-ombre.

Vous voyez le résultat. La couleur propre de chaque corps ayant été foncée, les objets ont acquis du volume et du relief..., mais sans parvenir à présenter les qualités propres aux couleurs de l'ombre. C'est évident : le résultat n'est pas idéal. Pour qu'il le soit, il manque à ces couleurs, d'un côté le mélange du bleu dont nous avons parlé ; de l'autre, l'addition dans les ombres de la couleur complémentaire de chacune des couleurs propres. C'est ce que nous allons étudier inmmédiatement.

Fig. 16. — Voici l'intervention dans les ombres de la couleur propre, mais dans un ton plus foncé, c'est-à-dire l'obscurcissement de la couleur propre à l'intérieur de la gamme du spectre, comme celle que présente la figure 18 du chapitre précédent (consultez cette illustration). Remarquez néanmoins que, si les corps peints dans cette gamme acquièrent du volume, pour que le résultat soit meilleur, il manque d'abord la présence du bleu, et ensuite dans les ombres, celle de la couleur complémentaire des lumières.

Auparavant, observez l'aspect un peu vieillot du tableau que je suis en train de peindre, qui apparaît surtout dans ce domaine de la couleur propre et du ton plus foncé. Observez que ces coloris rappellent un peu celui d'un peintre ancien classique... avec cette abondance de couleurs sépia dans les ombres... alors qu'on n'était pas encore parvenu à la découverte qui a révolutionné toute la technique de la peinture: l'intervention et l'application pratique des lois sur les couleurs complémentaires.

COULEUR C): LA COMPLÉMENTAIRE DE LA COULEUR PROPRE

LA MANIÈRE DES IMPRESSIONNISTES.

Dans le domaine de la couleur, l'essence même de l'impressionisme réside dans la peinture des ombres obtenues par la complémentaire des parties éclairées. Si l'on peignait le tableau du plat, des bananes et des pommes suivant cette théorie —poussée à l'extrême—, on obtiendrait l'image que présente la figure ci-contre, nº 17. J'ai essayé d'y traiter le sujet sur le plan impressionniste, sans me préoccuper de l'exactitude formelle, en soulignant et en détachant les contours au trait noir (selon le style de certains tableaux de Toulouse-Lautrec, de Cézanne et surtout de Van Gogh), en traduisant la couleur par de grandes taches, et en recherchant toujours un coloris clair et lumineux (par exemple dans les couleurs du fond, de la nappe, du plat lui-même, rehaussé par un jaune citron au lieu d'un jaune verdâtre, etc.).

On ne peut nier que le tableau en question, réalisé suivant la formule des complémentaires, présente un contraste et une luminosité extraordinaires dans les ombres. Il est normal qu'il en soit ainsi, d'abord parce que ce contraste naît de la juxtaposition de couleurs très opposées, très contrastées: les couleurs complémentaires; et ensuite, parce que cette juxtaposition crée, par la «sympathie des complémentaires» dont nous parlions au chapitre précédent, un phénomène d'exaltation et d'induction porté à son maximum.

Les impressionnistes ont su mettre à profit ce phénomène, pour obtenir de véritables symphonies de lumière et de couleur dans leurs tableaux. Vous aussi, qui voulez peindre avec davantage de maîtrise, pouvez mettre à profit ces données sur la juxtaposition des complémentaires, sur leur présence dans les ombres, sur les contrastes maximum des couleurs (comme ceux que nous voyons figure 17).

Je ne peux pas vous conseiller maintenant de peindre ainsi, avec cette terrible stridence; mais rappelez-vous ces données pour parvenir à une conception de la peinture et du tableau plus actuelle, plus moderne; essayez d'obtenir cette luminosité, cette joie de la couleur que donne la science des complémentaires et leur mise en jeu. Car, à part les effets picturaux que procurent les contrastes violents de la couleur, à part cette conception avancée, si vous aimez peindre dans un style académique, vous n'êtes pas obligés d'employer intégralement cette formule

Fig. 17. — Les ombres sont peintes ici avec la couleur complémentaire de chacune des couleurs propres (les ombres du plat jaune par exemple, ont été peintes avec leur complémentaire, le bleu; celle des pommes pourpres, avec leur complémentaire, le vert, etc.). Cette expérience donne un tableau très contrasté de couleur et extraordinairement lumineux dans les ombres; elle prouve la nécessité de ces complémentaires pour les ombres, et démontre en même temps l'influence de cette formule sur la peinture impressionniste.

pour traduire l'ombre et la lumière. Qui nous dit, qu'en combinant ce facteur aux deux autres, nous ne trouverons pas la véritable couleur des ombres?

Nous allons le voir maintenant, par l'analyse de l'œuvre achevée:

LE TABLEAU ACHEVÉ.

Voici, figure 18, le tableau achevé; c'est le résultat obtenu par le mélange des facteurs étudiés.

LA COULEUR A): LE BLEU. Remarquez l'importance du bleu, présent dans toutes les ombres du tableau, à commencer par l'ombre des objets sur la nappe; regardez l'influence de ce bleu sur l'ombre du plat en céramique. Revenez à la couleur de cette ombre dans la figure nº 16, et essayez d'en mélanger le ton au bleu de l'ombre identique, représentée sur la figure 15. Vous comprenez, n'est-ce pas? Du mélange des couleurs bleu et Sienne claire, «surgit», sans presque avoir besoin de l'aide de la complémentaire (qui, de toutes façons, est également le bleu), la couleur définitive de l'ombre du plat, cette nuance ocre verdâtre composée d'ocre et de bleu. Étudiez ce qui vient d'être dit, et faites les mêmes remarques par rapport aux couleurs de l'ombre des bananes, des pommes.

LA COULEUR B): LA COULEUR PROPRE DANS UN TON PLUS FONCÉ. Ni le bleu présent, là où est absente la lumière, ni l'induction et l'influence de la complémentaire, ni même la présence, dans les ombres, des couleurs réfléchies par les autres corps, aucun facteur ne peut détruire tout à fait l'existence, à plus ou moins grand degré, de la couleur propre de l'objet. Nous avons déjà rencontré ce cas, avec le polyèdre rouge de la figure 12 du premier chapitre de ce livre, en étudiant le facteur «couleur tonale». Nous avions vu alors que l'ombre modifie la couleur propre, sans l'estomper entièrement. Ici, aussi foncée que soit l'ombre des pommes, on y perçoit quand même l'influence du rouge lumineux de leur couleur à la lumière. Dans les plis et les parties de la nappe qui sont à l'ombre, et malgré la tendance marquée au bleu, le blanc de cette nappe persiste dans un ton plus foncé. Cela suppose l'intervention du gris, dont la présence apparaît clairement dans les ombres en question.

LA COULEUR C): LA COMPLÉMENTAIRE DE LA COULEUR PROPRE. Remarquez sur le tableau définitif l'effet que produisent les trois facteurs, toujours présents à la fois dans les parties à l'ombre. Regardez: dans l'ombre du plat en céramique, en plus du bleu et de la couleur propre dans un ton plus foncé, il y a certaines teintes violettes données par la complémentaire de la couleur éclairée; vous pouvez voir, sur les pommes, dans les parties à l'ombre, l'influence de la complémentaire du rouge (le vert), qui, mélangée au bleu et à la couleur propre dans un ton plus foncé, nous donne cette gamme de carmins, de Sienne, de marrons foncés et même de tons vieil or, comme sur la pomme du premier plan. Notez la participation essentielle de ces complémentaires dans les lumières réfléchies par les pommes: leur tendance est franchement bleutée, verdâtre; comparez ces tons avec ceux de la figure 17.

Fig. 18. — Essayez de percevoir, dans la couleur des ombres, le mélange des trois facteurs étudiés ; le bleu, la couleur propre dans un ton plus foncé, et la complémentaire de la couleur propre.

Voici terminée l'étude des lois et des règles qui régissent la théorie de la couleur proprement dite. Il nous reste à voir maintenant une nouvelle phase de l'art de peindre : l'harmonisation de la couleur. En attendant que nous arrivions à cette dernière étape, ne cessez pas de travailler, ne vous bornez pas à ce que vous voyez et lisez dans ces chapitres. Car, il est évident que

LES DONNÉES THÉORIQUES NE SUFFISENT PAS.

Lire et étudier, apprendre toutes les données précédentes et tout ce qui est nécessaire, n'est pas suffisant. Il est indispensable, en plus, de les mettre en pratique, de peindre, de lutter avec les couleurs et le modèle, de se tromper, de rectifier, de revenir à l'étude, de revenir à la peinture.

Vous avez maintenant en votre possession des connaissances suffisamment vastes pour pouvoir oser faire des essais et des expériences personnelles.

Quatrième chapitre

Gammes d'harmonisation.
Facteurs harmoniques et disharmoniques.
Consonances et dissonances.
Application pratique.

Le Maître de musique, expliquait au piano le nouveau morceau que nous allions entreprendre. Je chantais la partie ténor.

—Silence. Écoutez —dit le maître au piano—. Nous allons essayer d'exécuter une ballade populaire, très mélancolique, simple comme un chant grégorien. Écoutez :

Du piano s'éleva le prélude d'une douce mélodie. Puis, après trois mesures, un accord avec point d'orgue : *fa, la do*. Le la était bécarre, il résonnait comme une triste plainte.

Au début, ce la bécarre est la note dominante. Attention : toute la tristesse de la chanson est centrée sur cette note.

———

Il y a ici, à l'entrée de la gare, un grand pont dont les arches voient passer sans cesse des trains, des express, des trains de marchandises.

J'étais là, prêt à peindre ; j'avais attendu ce ciel de plomb. C'est ainsi que j'imaginais le tableau, très sale, froid, mécanique, avec ce ton dominant, imprégnant tout de gris.

———

Vous, les ténors, entonnez. Ecoutez, les autres — *ré,*
sol, si— : les basses et les barytons, vous prenez à cette
tierce en *sol,* dans un ton plus bas, pour mettre en
relief la mélodie par le contraste.

———————

Je l'avais imaginé ainsi : comme une parfaite mélodie de gris où il y aurait eu pourtant certaines notes
de couleur plus vive, comme ce bleu de la petite maison du garde-voies, ces rouges du premier plan même.

———————

— et vous continuez jusqu'à la 51ème mesure, où
s'élève quelques instants la grosse voix des basses, solitaire et solennelle, presque joyeuse.

———————

...et aussi ce puissant carmin de garance du wagon
central !

———————

—...puis elle se fond, pour laisser de nouveau place
à la triste plainte des ténors, vous comprenez ?
Je pris la baguette et le chœur commença à chanter.

———————

Je pris ma palette et commençai à peindre.

Musique... Peinture... Mélange de sons... Mélange de couleurs. L'analogie est évidente. Pour peu que nous analysions les lois d'harmonisation qui régissent la peinture, nous verrons qu'en règle générale, elles sont semblables à celles de la musique.

En effet, si on réunit les quatre meilleurs chanteurs du monde, on verra qu'il est impossible d'obtenir un bon ensemble musical si ces voix chantent en même temps, indépendamment les unes des autres ; au contraire, ce sera possible si elles s'adaptent et se soumettent aux principes et aux lois précises de l'harmonie.

De même, vous pouvez choisir quatre couleurs extraordinairement belles et vous vous rendrez compte qu'il est impossible d'obtenir un coloris agréable, sans organiser la correspondance des unes avec les autres, sans harmoniser leurs tons, leurs nuances.

C'est pour cette raison que nous avons commencé cette leçon par un rapport entre la musique et la peinture. De même, nous associerons, dans ces pages, l'art d'harmoniser les sons à celui d'harmoniser les couleurs ; nous parlerons de gamme, de ton, de mélodie, de note dominante, d'accord, en vous expliquant de quoi il s'agit et ce que représentent ces mots en musique, pour mieux vous faire comprendre ce qu'ils peuvent être et donner en peinture.

L'HARMONISATION DES COULEURS : UNE CONNAISSANCE INDISPENSABLE À L'ARTISTE.

La nécessité d'étudier l'harmonisation des couleurs est évidente lorsqu'on examine les œuvres des grands maîtres ; elles présentent une harmonie de couleurs dont on peut penser qu'en un sens, elle est fortuite ; mais cette harmonie doit être soumise aussi bien aux lois picturales qu'aux caractéristiques du modèle.

D'autre part, il faut considérer que, lorsque l'artiste peint d'imagination, il crée lui-même des couleurs, il les combine entre elles, il les marie. Par exemple, dans le domaine artistique, il change un fond ou la couleur d'un vêtement, celle d'un objet placé au premier plan, afin d'obtenir un meilleur contraste fondé sur la loi des complémentaires. Dans le domaine de la publicité, il fait de même pour créer et réaliser des couvertures ou l'intérieur de brochures, pour peindre des affiches, pour décorer des étalages, des vitrines, des stands, pour décider d'une combinaison de couleurs dans un intérieur.

Les données suivantes ont pour but de répondre à cette question et à toutes les autres, sur l'art d'harmoniser les couleurs.

PRINCIPES GÉNÉRAUX DE L'HARMONISATION

L'harmonisation des couleurs nous est fondamentalement donnée par la nature elle-même. Il y existe toujours, quel que soit le sujet, une tendance lumineuse, qui met en rapport certaines couleurs avec d'autres et toutes entre elles. On peut avoir un exemple classique de cet effet dans un paysage éclairé par la lumière du soleil qui se couche ; dans ce cas, les rayons du soleil colorent les corps d'un ton rougeâtre ou orangé et donne à toutes les couleurs, même les plus opposées, une correspondance de nuance entre elles. Si on change d'heure et qu'on regarde ce même paysage à midi, sous un ciel nuageux, sans soleil, la tendance des couleurs sera semblable au reflet gris du ciel. Au bord de la mer, la lumière et les couleurs seront influencées par le reflet bleu de l'eau et du ciel; en haute montagne, par l'opacité du brouillard ou la transparence d'un jour vif. La lumière artificielle présente également cette tendance lumineuse, qui tamise les couleurs de façon précise : la lumière artificielle courante est jaune ou orangée; la lumière fluorescente est bleutée ou rosée.

Notre dessein, en peignant d'après un modèle, est de découvrir cette tendance chromatique et de la transposer sur la toile, en en tirant le meilleur parti artistique possible. Quand nous peignons de mémoire, notre travail consiste à imaginer une tendance donnée et à peindre en accord avec cette dernière. Dans les deux cas, nous devons adapter notre palette et l'organiser, pour parvenir au but essentiel qui est l'harmonisation.

Harmoniser les couleurs, c'est trouver la concordance d'une couleur par rapport aux autres ou de plusieurs couleurs entre elles, établissant par là-même un ensemble agréable pour l'esprit.

Cette concordance des couleurs se fonde essentiellement sur la connaissance et l'usage de différentes gammes de couleurs.

LA GAMME.

Le mot gamme vient du système de notes musicales, inventé en 1028 par Guido d'Arezzo, qui a établi l'ordre classique d'une échelle de sons rendue par les notes do, ré, mi, fa, sol, la, si, do.

Si on considère que ce système est parfait, on peut dire que

le mot gamme signifie, à l'origine, une succession de sons ordonnés, suivant un mode particulier, considéré comme parfait.

Par analogie, le même mot gamme s'applique en peinture à la succession des couleurs du spectre, en considérant également que cette succession, telle qu'elle apparaît dans la lumière décomposée, présente une ordonnance parfaite. En effet, il n'y a qu'à regarder la figure 1 de cette quatrième et dernière partie pour que cette assertion se trouve confirmée. On y voit les couleurs du spectre dans une large succession, et comprenant, en plus des primaires et des secondaires, les tertiaires-pigment. De gauche à droite :

pourpre, carmin, rouge, orange, jaune, vert clair, vert, vert émeraude, bleu cyan, bleu outremer, bleu foncé et violet.

Enfin, imaginons la traduction de ces couleurs dans un ton, par exemple une série de gris, dont les valeurs concorderaient avec l'ordre et

Fig. 1. — Gamme constituée par toutes les couleurs du spectre, dans une succession parfaitement ordonnée.

Fig. 2. — Gamme de gris correspondant aux couleurs du spectre.

Fig. 3. — Gamme d'une partie du spectre, fondée sur la couleur jaune.

Fig. 4. — Traduction, en gris, de la gamme de jaunes précédente.

Fig. 5. — GAMME MÉLODIQUE

C'est la gamme composée d'une seule couleur dégradée en tons différents, par l'action du blanc et du noir (sur cette figure 5, vous pouvez voir un exemple de gamme mélodique peinte avec la couleur orange).

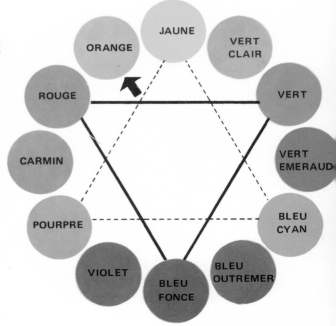

les tons du spectre (fig. 2) : nous obtiendrons également une parfaite succession d'éléments ordonnés.

Donc, par extension, le sens du mot gamme peut se référer non seulement à la succession ordonnée des couleurs du spectre, mais également à une partie du spectre et même à une seule couleur du spectre, dégradée et présentant une échelle ou gamme de tons différents (fig. 3 et 4).

Nous arrivons ainsi à la conclusion :

une gamme est une succession de couleurs ou de tons parfaitement ordonnés.

S'il y a ordre, il y a accord, il y a harmonisation ; car harmoniser, c'est mettre en accord, organiser la couleur du tableau en imitant la nature qui, comme nous l'avons vu, nous offre une gamme de couleurs bien définie.

Revenons donc au principe général : l'art d'harmoniser les couleurs se fonde sur la connaissance et l'usage des différentes gammes de couleurs. Voici l'étude de ces gammes.

GAMMES LES PLUS COURAMMENT UTILISÉES POUR L'HARMONISATION DES COULEURS.

Nous illustrerons cette étude par une série d'images, composées chacune de trois éléments : (voyez la figure 5).

A : LA GAMME SPECTRALE, disposée en cercle et constituée par les primaires jaune, bleu cyan et pourpre (réunies par le triangle équilatéral du trait noir continu) ; les secondaires vert, bleu foncé et rouge (réunies

B

C

par le triangle équilatéral en pointillé); et en position intermédiaire, entre chaque primaire et chaque secondaire, les tertiaires vert clair, vert émeraude, bleu outremer, violet, carmin et orange. Étudiez, en même temps sur ce tableau, la disposition et la situation des complémentaires, qui sont faciles à localiser, si on considère qu'elles se trouvent toujours en opposition. Ainsi par exemple, le jaune est complémentaire du bleu foncé; le vert du pourpre; le bleu outremer de l'orange, etc.

B : LA PALETTE OU GAMME. Vous pourrez y voir les mélanges de chaque gamme en une palette donnée, avec bien entendu, la présence des couleurs que nous indiquerons pour chaque gamme.

C : LE TABLEAU. Enfin, sur cette illustration C, vous pourrez voir et étudier un sujet peint avec la gamme de couleurs indiquée pour chaque cas.

Commençons par la première gamme ou harmonisation, la plus simple :

LA GAMME MÉLODIQUE (fig. 5).

La gamme mélodique est composée d'une seule couleur, dégradée en tons différents par l'action du blanc et du noir.
(Sur cette figure 5, vous pouvez voir un exemple de gamme mélodique peinte avec la couleur orange).

Le résultat obtenu par cette gamme, malgré sa simplicité, est proprement surprenant. Il nous prouve la possibilité d'obtenir une richesse de tons très grande; tous naissent d'une seule couleur augmentée du blanc et du noir. En réalité, le secret de cette richesse est fondé sur la maîtrise du blanc et du noir, en rapport avec la couleur de la gamme (l'orange, sur notre exemple,) en tenant compte de ce que, premièrement : le blanc et le noir peuvent donner par eux-mêmes une nouvelle couleur —un gris neutre— indépendante de la couleur de la gamme; et deuxièmement : lorsque le blanc comme le noir sont mélangés à une couleur donnée, ils modifient sa nuance et donnent une couleur légèrement différente. (Rappelez-vous les données du second chapitre à ce sujet, et le commentaire des fig . 16 et 17 avec l'exemple du café noir et du café au lait); enfin, ce changement, qui peut être préjudiciable si on peint «avec toutes les couleurs», est tout à fait avantageux et profitable dans le cas d'une gamme comme celle-ci, de type monochrome (d'une seule couleur).

Pour confirmer ce commentaire, regardez sur la palette-gamme de cette figure 5, les tons obtenus avec le seul orange; il apparaît sans changement ni mélange, puis éclairci par du blanc; remarquez qu'en étant mélangé au noir, il se transforme en un ocre, où on aperçoit un vert sale, ou un marron foncé semblable à la terre d'ombre brûlée. Etudiez tout particulièrement les teintes franchement grises, que donnent le blanc et le noir, et celles où apparaît le même gris, avec la présence d'un orange léger. Regardez pour finir, l'application de cette palette au tableau :

Ce type de gamme est extrêmement intéressant pour l'art graphique, quand il s'agit de reproduire un sujet dans une seule couleur, avec du

noir —le blanc est celui du papier lui-même—. On peut alors penser à remplacer le noir absolu par un noir légèrement teinté de la couleur de la gamme (dans le cas de l'orange, ce serait un noir mélangé à une Sienne naturelle ou brûlée), pour obtenir une gamme encore plus riche en nuances. Dans le domaine artistique, la gamme mélodique constitue, pour l'étude et l'exécution, une base utilisée par de nombreux artistes lorsqu'ils commencent leur tableau dans la gamme d'une couleur dominante. Ainsi par exemple, Rubens peignait ses études préliminaires dans une gamme mélodique basée sur la couleur terre de Sienne.

La gamme mélodique doit son nom au sens du terme musical mélodie. Car c'est effectivement le chant seul, sans accompagnement; c'est le chant du soliste, indépendamment de l'orchestre.

LA GAMME HARMONIQUE SIMPLE (fig. 7).

Si vous demandez à un musicien le sens du terme «accord harmonique», il vous dira que c'est la réunion simultanée et coordonnée de plusieurs sons à partir de laquelle on obtient une sonorité nouvelle. D'autre part, l'harmonie musicale est subordonnée à la voix qui chante en lui servant d'accompagnement. Donc, nous dirons que

la gamme harmonique simple est composée d'une couleur mélodique ou dominante, «accompagnée» de trois autres couleurs, de teinte opposée, le tout formant un ensemble à partir duquel on obtient un coloris nouveau.

La marche à suivre est la suivante :

1. — On choisit une couleur dominante, en accord avec la dominante de couleur présentée par le sujet.
2. — A quatre couleurs de la dominante, (en tournant de gauche à droite sur un tableau circulaire des douzes couleurs spectrales), on trouve les trois couleurs de teinte opposée qui doivent concorder avec la précédente, de sorte que
3. — La dernière du trio accompagnateur est la complémentaire de la dominante choisie en premier lieu.

Pour mieux comprendre cette définition, regardez l'exemple de la figure ci-jointe. Dans la gamme spectrale, nous voyons les couleurs à employer, à savoir : l'orange comme couleur mélodique ou dominante (la couleur qui «chante», pour ainsi dire) ; puis, à quatre intervalles, le vert émeraude, le bleu cyan et le bleu outremer, les couleurs «d'accompagnement» qui, mélangées à la précédente, donnent un nouveau coloris dans cette teinte verdâtre, ainsi que vous pouvez le voir sur le tableau peint avec cette gamme harmonique simple.

Remarquez sur l'illustration de la palette ou gamme, que le noir et le blanc apparaissent également dans cette gamme.

Comme vous pouvez le voir sur ces illustrations, la richesse de la gamme harmonique simple est presque parfaite ; elle comporte (avec les couleurs que nous avons employées) toute une série de teintes bleues, vertes, Sienne, orangées, jaunes ; il manque seulement une couleur (ici le rouge), pour que la gamme soit complète. Son caractère principal vient de l'existence d'une couleur dominante, qui doit influencer et être présente dans toutes les autres couleurs, même dans le coloris nouveau

Fig. 7. — GAMME HARMONIQUE

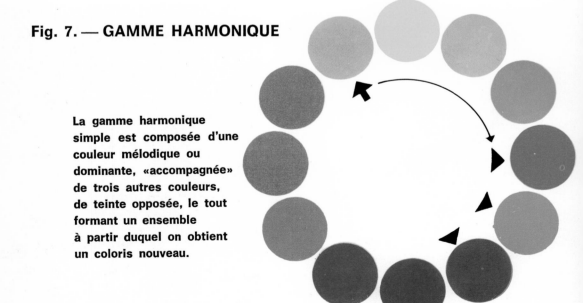

La gamme harmonique simple est composée d'une couleur mélodique ou dominante, «accompagnée» de trois autres couleurs, de teinte opposée, le tout formant un ensemble à partir duquel on obtient un coloris nouveau.

donné par le mélange de l'ensemble. Dans l'exemple de cette figure 7, on voit qu'effectivement, l'orange est le ˝soliste˝, c'est lui qui «donne le ton», lui qui est toujours présent dans tous les mélanges, en les soumettant à sa couleur, ce qui provoque une coordination parfaite. Il est également important, pour obtenir ces effets, de choisir comme couleurs «d'accompagnement», justement les plus opposées à la dominante. Remarquez que cette opposition est maximum, au point d'inclure dans les trois couleurs d'accompagnement rien moins que la complémentaire de la dominante (ici, le bleu outremer, complémentaire de l'orange).

Et cela parce que grâce à cette opposition maximum, on peut obtenir un contraste maximum, une richesse de coloris, qui serait impossible en choisissant des couleurs plus proches de la dominante (l'orange dans l'exemple qui nous occupe).

Pensons enfin qu'il existe dans cette harmonisation un jeu de complémentaires si direct que la prédominance d'une couleur est nécessaire afin d'éviter le pire des maux pour une harmonisation qui se veut coloriste : la négation de la couleur.

Nous allons parler de cette question importante dans un paragraphe spécial :

FACTEURS HARMONIQUES ET DISHARMONIQUES DANS LES COMPLÉMENTAIRES

On sait que les complémentaires sont les couleurs les plus opposées entre elles dans une gamme spectrale, puisqu'elles se trouvent à l'opposé maximum et qu'elles présentent la différence la plus grande quant à la couleur.

On sait aussi que le contraste est surbordonné non seulement au facteur couleur, mais aussi au facteur valeur (voyez la fig. 2 du second chapitre); on peut donc répéter ici ce dont nous avons parlé dans le deuxième chapitre :

**le contraste entre deux complémentaires est
surbordonné à la VALEUR et à la COULEUR de celles-ci.**

Prenons un exemple : le vert est complémentaire du rouge; donc, mis à côté l'un de l'autre, ils présentent un contraste de couleur maximum. Mais si nous transposons ces deux couleurs dans des gris (en analysant leur valeur d'origine), nous verrons que ces gris sont très proches l'un de l'autre (fig. 8). Nous dirons alors que le vert et le rouge présentent un contraste maximum de couleur mais réduit quant à la valeur. Il résulte alors que ce manque de contraste, cette identité de ton et cette opposition maximum de couleur sont très désagréables à la vue, et provoquent sur notre nerf optique un véritable déséquilibre, et même une sorte de vibration qui arrive à gêner réellement la vue normale. On a un exemple classique de cette vibration extrêmement désagréable dans un texte peint en rouge sur un fond vert (fig. 9). L'exaltation des deux couleurs est si accentuée et le manque de contraste si évident que, dans des conditions d'éclairage normales, si le texte est mis à une certaine distance, il est réellement difficile d'en lire le contenu, le profil des lettres semble « danser »; elles se transforment en petites lumières qui bougent; ce qui peut même donner lieu, poussé à l'extrême, au phénomène des images successives.

La conséquence est très importante pour nous :

**Deux couleurs complémentaires de MÊME VALEUR
sont impossibles à harmoniser.**

Elles ne peuvent pas être en accord, elles ne s'harmonisent pas, elles « se combattent l'une l'autre ». Souvenez-vous en. Maintenant, repassez mentalement la liste des complémentaires, et vous arriverez à la conclusion que cette différence est plus accentuée chez certaines que chez d'autres. Ainsi par exemple : entre le jaune et le bleu foncé violacé (complémentaires l'un de l'autre), l'harmonie est possible dans la mesure où ces couleurs présentent non seulement un contraste de couleur mais aussi de valeur; alors que cette harmonie est impossible entre le pourpre et le vert, entre le vert émeraude et le carmin, entre le bleu cyan et le rouge, etc., car il existe entre eux une identité de valeur.

Que faire alors dans ces cas-là, pour tirer parti de la richesse de couleur des complémentaires, de leur extraordinaire contraste de couleur? Tout simplement y créer un contraste de valeur, en baissant, en éclaircissant l'une d'elles. Laisser, par exemple, le vert à sa puissance maximum en éclaircissant le pourpre, le transformant en rose carmin, ou baisser les deux couleurs, l'une davantage que l'autre, provoquant une inégalité de valeur par laquelle on atteindra un accord, donné par le contraste de couleur et de valeur qui offrira un extraordinaire effet d'harmonisation réellement originale et efficace. Soulignons cette règle et disons que :

FIG. 8

FIG. 9

FIG. 11   FIG. 10

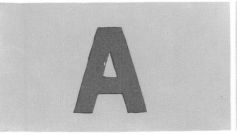

1. — **Deux complémentaires de valeur différente peuvent s'harmoniser (fig. 10).**

2. — **Deux complémentaires de valeurs et de couleurs atténuées provoquent une vibration neutralisée, qui se traduit par une harmonie fondée sur la délicatesse et l'originalité de l'ensemble (fig. 11).**

Cette dernière règle nous conduit directement à l'étude d'une gamme exceptionnelle par sa richesse et sa délicatesse de ton : la gamme fondée sur le mélange neutralisé des couleurs complémentaires.

LA GAMME HARMONIQUE DES GRIS COLORÉS,
PAR LE MÉLANGE DES COULEURS COMPLÉMENTAIRES.

Supposez que vous mélangiez deux couleurs complémentaires, le vert et le rouge par exemple. Vous savez ce qui arrive? On obtient une couleur très foncée, presque noire. Supposez que vous les mélangiez en quantité inégale ; vous obtiendrez alors, ou bien un rouge sale qui tire sur le Sienne, ou bien un vert grisâtre tirant sur le rouge, suivant que dans le mélange il y aura une prédominance de rouge ou de vert. Imaginez enfin que vous éclaircissiez les deux couleurs avec du blanc, puis que vous les mélangiez entre elles. Vous obtiendrez alors une large gamme de gris, teintés les uns de rouge, les autres de vert, d'autres de Sienne, et même d'un acpect ocre, etc.

Nous pouvons utiliser deux à deux toutes les couleurs complémentaires de la gamme spectrale que vous voyez (fig. 12). Vous obtiendrez de cette manière une gamme harmonique très étendue de gris colorés.

Pour réaliser le paysage de la page 103, nous nous sommes limités à l'emploi de quatre couleurs complémentaires, mélangées deux à deux. Nous avons choisi deux couleurs dominantes de la même gamme : le jaune et le rouge (séparés par une seule couleur), et leurs complémentaires : le bleu cyan et le bleu foncé. N'oubliez pas non plus que ces quatre couleurs employées ont été mélangées au blanc et au noir.

Fig. 12. — GAMME HARMONIQUE DES GRIS COLORÉS
PAR MÉLANGE DES COULEURS COMPLÉMENTAIRES

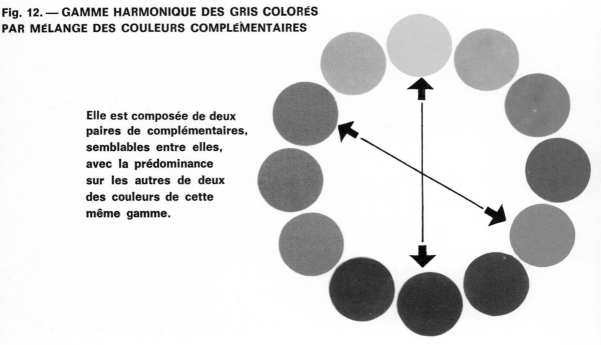

Elle est composée de deux paires de complémentaires, semblables entre elles, avec la prédominance sur les autres de deux des couleurs de cette même gamme.

La combinaison précédente nous donne pour résultat une gamme de gris neutralisés, de grand effet et de grande qualité artistique. Une gamme dont la vraie couleur dominante est le gris, avec cependant une coloration suffisante pour que le tableau ne paraisse pas éteint, monotone ou sale. Regardez vous-même les couleurs de la «palette-gamme»; observez la présence du blanc, qui élimine les couleurs criardes et atténue les contrastes de couleur mais non de valeur, ce qui nous donne un tableau exceptionnel, une harmonisation subtile, délicate de couleur, mais contrastée. (C). On pourrait dire que c'est un dessin finement coloré.

N'oubliez pas, enfin, que le choix de l'une ou l'autre des complémentaires comme couleur dominante —avec le gris— doit être dicté par le sujet lui-même. Il faut voir si la coloration ambiante tend vers le rouge, le vert, le bleu, etc.

LA GAMME HARMONIQUE DES COULEURS THERMIQUES.

Avec cette gamme nous arrivons à l'essence même de l'harmonisation des couleurs. On entend par couleurs thermiques des couleurs qui, influant sur notre psychisme, souvent par associations d'idées, nous donnent spontanément une sensation de froideur ou de chaleur.

Le sujet, les couleurs que présente le modèle sont toujours influencés par la coloration de la lumière ambiante. Prenons des exemples pour mieux comprendre.

COULEURS FROIDES.

Imaginons le même sujet de paysage, avec l'arbre au premier plan et quelques maisons au fond. Imaginons ce tableau, un matin d'hiver, par un ciel légèrement couvert. Le soleil est faible et le froid de l'aube a laissé une brume qui enveloppe les formes d'une teinte très bleutée. Toutes les couleurs sont revêtues de ce bleu grisâtre. Même les verts semblent voilés de bleu, et montrent un ton bleu-gris, ou même violet.

Voici donc un tableau en bleu, exemple typique *de couleurs froides*, avec le bleu comme dominante (Fig. 13).

COULEURS CHAUDES.

Supposons maintenant le même sujet, vu par un jour clair, en plein soleil, à la fin de l'après-midi, quand ce soleil est presque rouge et que ses rayons éclairent intensément la scène.

Toutes les couleurs seront donc influencées pas les rayons du soleil, les murs des maisons les plus proches seront de couleur orange, ocre doré, Sienne et jaune mélangés ; l'influence prédominante sur l'ensemble sera celle du rouge (fig. 14).

Fig. 13. — GAMME HARMONIQUE DES COULEURS FROIDES

composée des couleurs vert clair, vert, vert émeraude, bleu cyan, bleu outremer, bleu foncé et violet. L'emploi de ces couleurs aura pour résultat de donner à cette gamme une dominante qui, en général, sera celle du bleu.

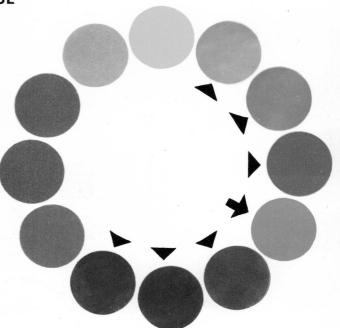

Observez ce tableau à dominante nettement rouge ; cette symphonie de couleurs exécutée avec des rouges, des orangés, des bruns, des ocres, nous donne une impression de chaleur.

Les couleurs thermiques se divisent en deux groupes :

Les couleurs chaudes présentent une dominante rouge.
Les couleurs froides présentent une dominante bleue.

Remarquez que dans le tableau des couleurs froides, la dominante bleue s'étend de préférence vers les violets ; alors que dans le tableau opposé, les couleurs chaudes comprennent (en plus du rouge), les carmins, les orangés et les jaunes. De sorte que, si on divisait en deux parties le tableau du spectre que nous venons d'utiliser, on aurait systématiquement une gamme de couleurs froides et une gamme de couleurs chaudes. Elles sont ainsi composées :

LA GAMME HARMONIQUE DES COULEURS FROIDES .

Elle est essentiellement composée des couleurs vert clair, vert, vert émeraude, bleu cyan, bleu outremer, bleu foncé et violet.

LA GAMME HARMONIQUE DES COULEURS CHAUDES .

Elle est essentiellement composée des couleurs violet, pourpre, carmin, rouge, orange, jaune et vert clair.

En comparant ces couleurs à celles de la gamme précédente, remarquez que le vert clair et le violet font partie des deux gammes ; ce sont

des couleurs «limites» qui peuvent être aussi bien chaudes que froides, selon l'influence qu'exercent sur elles les autres couleurs du tableau, suivant la sensibilité et l'état d'esprit du spectateur. Leur appartenance à l'une ou à l'autre gamme demeure donc tout à fait subjective.

LA PROFONDEUR ET LA COULEUR.

La connaissance et la maîtrise des gammes harmoniques des couleurs thermiques sont également applicables à la recherche d'un plus grand relief dans les effets de profondeur.

On a prouvé en effet que les couleurs chaudes, surtout le jaune et le rouge, s'associent plus vite à l'idée de proximité, de corps avancés ou proches du spectateur, alors que les couleurs froides, surtout le bleu et le violet, donnent une sensation d'éloignement, de formes et d'objets situés au dernier plan.

Rappelons ces effets psychophysiques en répétant et en soulignant que :

Le jaune et le rouge donnent une sensation de proximité.
Le bleu et le violet donnent une sensation d'éloignement.

Il faut se rappeler ces qualités quand on étudie, par exemple au moment de composer une nature morte, la possibilité d'établir une ordonnance chromatique des différents plans, pour essayer d'augmenter la sensation de profondeur.

CONSONANCES ET DISSONANCES.

On a dit que la consonance ressemble à la beauté statique, classi-

Fig. 14. — GAMME HARMONIQUE DES COULEURS CHAUDES

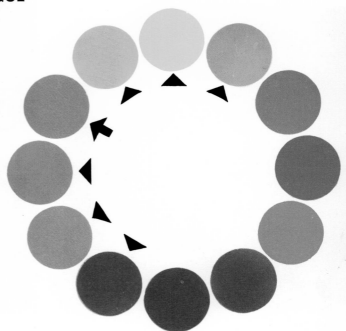

Elle est essentiellement composée des couleurs violet, pourpre, carmin, rouge, orange, jaune et vert clair. Cette gamme présente une dominante de couleur qui, en général, est celle du rouge.

que, alors que la dissonance s'associe mieux à la beauté dynamique ou moderne. Sans vouloir entrer dans ces querelles philosophiques, vous pouvez comprendre que notre entendement est plutôt partisan de l'ordre sans complications, de la beauté dans son sens plus primaire ou plus rationnel. L'enfant, l'homme peu accoutumé à l'analyse, donc primaire , préfèrent en général le carré et le cercle parfaits, et pensent que le rectangle et l'ovale sont moins symétriques, moins calculés.

Mais cet enfant —et cet homme—, élargit ses connaissances avec le temps ; il étudie, évolue ; il veut davantage, il demande plus, il parvient à un niveau supérieur et admet alors que le rectangle et l'ovale doivent, pour paraître également beaux, être d'autant plus calculés qu'ils sont asymétriques et inégaux ; il finit par comprendre que la beauté va toujours de pair avec l'imagination, avec l'exception. En un mot, il comprend que *l'art ne peut être soumis à des règles fixes.*

La musique harmonique est fondée sur des consonances de sons. Cette consonance se fonde sur l'association de notes séparées par des intervalles déterminés. Durant de nombreuses années, personne n'osa composer de la musique avec des dissonances. Quand il y avait une dissonance, on disait (et on dit toujours, si cette dissonance n'est pas voulue) que le chanteur ou le musicien s'était trompé, qu'il détonnait. Mais les musiciens classiques, à partir de J. S. Bach, avec la découverte du chromatisme, trouvèrent que la musique était enfermée dans des cadres trop étroits. Beethoven, avec l'invention de la quarte et l'atonalité, élargit les frontières de la composition. Ils ont bien sûr à combattre, pour que le public accepte leur façon révolutionnaire et dynamique de com-

poser la musique ; mais peu à peu, avec le temps, on admet tout à fait que ces dissonances donnent plus d'éclat aux consonances ; elles les exaltent et les rehaussent, en soulignant la valeur harmonique de l'ensemble.

Mais, revenons à la peinture.

Les gammes harmoniques des couleurs chaudes ou froides sont comme ces consonances parfaites en musique, sans aucune note ni couleur de tendance opposée, sans que le bleu intervienne dans les couleurs chaudes ni le rouge vif dans les froides. Mais —comme en musique— une harmonisation de ce type finirait par créer une perfection trop étudiée, excessivement calculée et par conséquent monotone, manquant d'originalité. Il faut donc qu'en peinture, pour la bonne harmonisation des couleurs, on admette également les dissonances de couleur, la note rouge vif dans une composition de couleurs froides, la touche de bleu froid dans un ensemble de couleurs chaudes ; on obtiendra dans les deux cas —par la dissonance et le contraste—, un plus grand relief de la gamme prédominante.

Nous pouvons donc résumer ce commentaire par une règle de grand intérêt :

**Dans une harmonisation de couleurs parfaitement consonantes,
il faut la présence d'une ou plusieurs notes dissonantes.**

Cela nous conduit à une gamme plus complète d'harmonies de couleurs :

**Fig. 15. — GAMME SPECTRALE
À TENDANCE FROIDE OU CHAUDE**

La gamme spectrale à tendance froide ou chaude est composée de toutes les couleurs du spectre subordonnées à l'une ou l'autre des gammes thermiques.

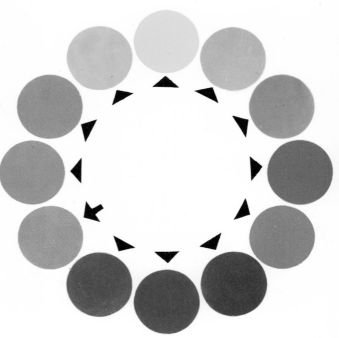

LA GAMME SPECTRALE À TENDANCE FROIDE OU CHAUDE.

Sur la figure 15, vous pouvez voir un exemple de cette gamme, parfaite, quant à l'harmonisation des couleurs. Remarquez que sur la gamme spectrale nous indiquons, comme exemple dans ce cas, une couleur dominante : le pourpre. Néanmoins, observez que cette couleur dominante ne se répercute pas de façon envahissante dans les mélanges de certaines couleurs avec d'autres, ni sur la palette-gamme, ni sur le tableau ; elle se limite à imposer sa tendance aux bleus, aux verts, aux violets ; elle imprègne légèrement tout le tableau et crée un rapport d'ensemble entre toutes les couleurs en les coordonnant vers une tendance de couleurs chaudes dans lesquelles il existe pourtant de réelles et agréables dissonances ; des taches bleues et vert bleuté, par contraste, accentuent le chromatisme et la richesse harmonique du tableau.

C'est ce qu'il y a de plus ardu en peinture. La difficulté commence quand on possède une connaissance qui va de soi dans un procédé, c'est-à-dire quand on sait vraiment peindre à l'huile, à l'aquarelle, à la gouache, quand on est capable d'obtenir n'importe quelle couleur, «cette couleur-ci» qu'on voit sur le modèle, ou «cette couleur-là» qu'on imagine ; quand on parvient à ce niveau d'expérience et de connaissance, la dernière préoccupation et l'unique souci de l'artiste sont de créer un coloris ambiant, qui soit en consonance avec le sujet ; il doit l'exprimer au mieux, et, avec ou sans contraste, l'œuvre présente une parfaite harmonisation des couleurs, une coordination de la couleur, agréable aux yeux et à l'esprit.

APPLICATION PRATIQUE

En règle générale et en pensant à l'application pratique de ces données, voici ce à quoi vous devez penser au moment d'étudier l'harmonisation des couleurs dans une œuvre déterminée :

1° — Étudier dans le modèle la tendance chromatique qu'offre la nature elle même.

Nous avons vu que cette tendance existe toujours, qu'il existe toujours dans les modèles *une tendance lumineuse, qui met en rapport certaines couleurs avec d'autres et d'autres entre elles.* Il peut néanmoins arriver qu'à certaines heures de la journée ou dans certaines conditions de lumière, cette tendance soit moins évidente, ou même invisible aux yeux d'un profane. Il faut alors faire un effort, pour la saisir, la deviner... ou l'imaginer. De toutes façon, vous devez essayer d'établir un rapport entre le sujet, ses possibilités expressives et une couleur donnée. Cela, sans oublier que dans beaucoup de cas, c'est l'artiste lui-même qui peut créer cette tendance lumineuse : dans la peinture d'intérieurs, de natures mortes, de portraits, de composition de personnages, etc., il est presque toujours possible de créer et de diriger la couleur propre du sujet vers la lumière ambiante (réfléchie) et la couleur de la lumière proprement dite.

2° — Choisir, en accord avec cette tendance, la gamme d'harmonisation la plus appropriée.

Si le sujet présente une tendance chromatique très définie, un coloris assez uniforme, pensez à mettre en pratique la formule de la gamme harmonique ; commencez votre tableau en vous soumettant aux quelques couleurs de cette gamme, en pensant peut-être à augmenter ensuite le nombre de couleurs, à créer de nouvelles teintes, mais toujours dans la dominante de la couleur initiale. Si le modèle vous apparaît avec des couleurs peu définies, mais au contraire avec des tons différents, si tout semble y tendre vers le gris, rappelez-vous les possibilités de la gamme harmonique des gris par le mélange des couleurs complémentaires ; essayez de mélanger et de créer ces gris, en les avivant par la prédominance de l'une ou l'autre couleur. Enfin, quel que soit le coloris choisi, envisagez toujours la possibilité de l'adapter à une gamme de couleurs froides ou chaudes, en pensant que ce facteur est le plus déterminant pour obtenir un coloris bien harmonisé. Rappelez-vous enfin la nécessité de créer la variété dans l'unité, obtenue à l'origine par la primauté d'une couleur dominante, en ajoutant le contraste de certains tons opposés et même la dissonance voulue de couleurs appartenant à la gamme contraire.

3° — Accentuer cette tendance pour obtenir une meilleure qualité artistique et expressive.

Car il est certain que le véritable artiste ne se borne pas à découvrir et à appliquer une gamme de couleurs déterminée. Son idéal consiste souvent à s'abandonner à cette gamme, à l'accentuer pour donner plus d'originalité à l'œuvre.

Pour terminer, regardez ces tableaux célèbres dont l'harmonie des couleurs correspond aux gammes étudiées dans cette leçon.

Fig. 16. — GAMME MÉLODIQUE. — (Michel-Ange. — «Madone allaitant»). La gamme mélodique, composée d'une seule couleur avec le blanc et le noir, possède une utilité limitée dans le domaine artistique. Michel-Ange l'utilise ici en peignant à la sanguine et au fusain sur papier de couleur et met en valeur le modelé avec quelques blancs. (Revoyez aussi ce qui a été dit dans ce chapitre sur l'application de cette gamme à l'art commercial et publicitaire.)

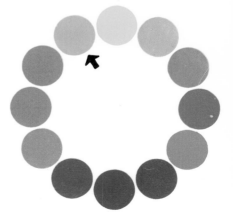

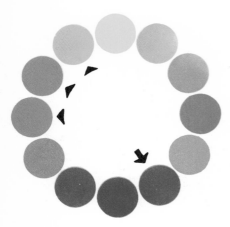

Fig. 17. — GAMME HARMONIQUE SIMPLE. — (Claude Monet. — «Neige sur Vétheuil»). Ce tableau présente une nette dominante bleue qui, avec le noir et l'accord harmonique du carmin, du rouge et l'orange, donne une extraordinaire gamme de gris bleutés, teintés d'ocre et d'orange. C'est un parfait exemple des possibilités qu'offre cette gamme de couleurs apparemment limitée mais qui se montre ici débordante de teintes.

Fig. 18. — GAMME HARMONIQUE DES GRIS,
PAR MÉLANGE DES COMPLÉMENTAIRES. —
(Edouard Vuillard.—«Enfants dans un intérieur»).
L'extrême finesse des gris, obtenus par le mélange
des couleurs complémentaires nous est donnée
ici dans toutes ses possibilités expressives. Nous
pourrions affirmer que Vuillard n'a pas besoin
du noir pour obtenir ces tons délicats; il parvient à cet aspect monochrome, si original, avec
la seule combinaison des complémentaires.

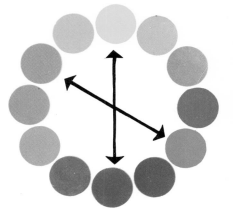

Fig. 19. — GAMME HARMONIQUE DES COULEURS FROIDES. — (Pablo Picasso. — «La rencontre»). Ce tableau appartient à la célèbre «époque **bleue»** de Picasso, quand l'artiste se plaisait à peindre dans une gamme de couleurs à prédominance froide, **fondée** sur des bleus et des gris verts. L'expérience de Picasso nous montre les possibilités de cette gamme, appliquée ici de façon totale, sans concession aux teintes rouges.

Fig. 20. — GAMME HARMONIQUE DES COU-
LEURS CHAUDES. — (Vélasquez. — «Juan de Pareja»). Dans la peinture ancienne, et surtout dans
les compositions de personnages, les harmonisa-
tions de couleurs fondées sur une gamme de couleurs chaudes sont très fréquentes. Vélasquez nous
montre dans le portrait de son serviteur Juan de
Pareja, les possibilités d'une peinture où toutes
les couleurs sont influencées par la chaleur du
rouge, de l'orange et du jaune.

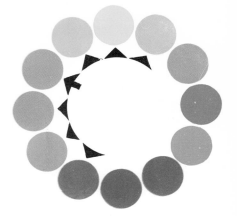

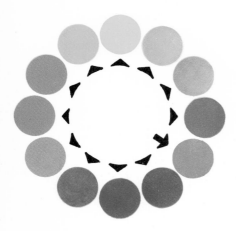

Fig. 21. — GAMME SPECTRALE À TENDANCE FROIDE OU CHAUDE. — (Paul Cézanne. — «Le vase bleu»). Voici enfin un des tableaux les plus célèbres de l'impressionnisme français, peint avec toutes les couleurs de la gamme spectrale, mais avec une nette tendance bleutée qui enveloppe de bleu tous les tons, mais qui offre cette étincelle voulue qu'est la tache rouge de la fleur rouge centrale (dissonance magnifique et calculée) qui rehausse encore plus la tendance bleutée de l'ensemble.

Ce livre s'achève. J'ai essayé de vous y expliquer ce que fait le professionnel, ce que font les peintres quand ils tentent de saisir les formes et les modèles. Permettez-moi, pour terminer, de faire un bref résumé de toutes les données contenues dans ces pages. Puisse-t-il vous aider à vous souvenir de ce que vous devez et ne devez pas faire, quand vous peignez.

RÉSUMÉ DES DONNÉES CONTENUES DANS CE LIVRE

1. — La lumière est composée par les couleurs du spectre. Donc, la lumière «peint» les corps, en réfléchissant tout ou une partie des couleurs du spectre. Les couleurs de base utilisées par le peintre sont les mêmes que celles du spectre. Donc, on peut reproduire, avec une grande fidélité, toutes les couleurs de la **nature.**

2. — Lorsqu'on peint, il faut différencier dans la couleur des corps: a) la couleur locale ou couleur propre du corps; b) la couleur tonale ou couleur locale

transformée par les effets de la lumière et de l'ombre; c) la couleur ambiante ou couleur réfléchie par les autres corps à proximité. Ces trois facteurs sont à leur tour conditionnés par la couleur propre de la lumière, l'intensité de la lumière et l'atmosphère interposée.

3. — Quand on parle de contraste, on doit distinguer entre le contraste de couleur par la valeur et le contraste de couleur par la couleur. Un bleu clair et un bleu foncé donnent un contraste de couleur par la valeur. Un bleu et un rouge donnent un contraste de couleur par la couleur.

4. — Le mélange de deux complémentaires donne le «noir», par neutralisation.

5. — On obtient le contraste maximum de couleur par la juxtaposition de deux complémentaires entre elles.

6. — Une couleur projette sur la teinte voisine sa propre complémentaire. Exemple: une couleur jaune teinte de bleu violacé (complémentaire du jaune) les couleurs qui lui sont juxtaposées. Suivant cette règle, pour modifier dans une certaine mesure une couleur déterminée, il suffira de changer le fond qui l'entoure.

7. — Le gris se compose pour moitié de noir et pour moitié de blanc. Donc, ajouter simplement du blanc à une couleur donnée pour l'éclaircir, signifie qu'on la fait virer vers le gris. On peut dire la même chose si pour foncer une couleur, on lui ajoute simplement du noir. Pour éclaircir ou foncer une couleur, on doit tenir compte des couleurs précédant et suivant la dite couleur dans le spectre.

8. — La couleur des ombres est composée par le mélange: a) du bleu, présent dans toute ombre; b) de la couleur propre dans un ton plus foncé; c) de la complémentaire de la couleur propre.

9. — Harmoniser les couleurs, c'est trouver la concordance d'une couleur par rapport à d'autres ou de plusieurs entre elles, établissant ainsi un ensemble agréable à l'œil. La concordance des couleurs est basée sur la connaissance et l'emploi de différentes gammes de couleurs. La gamme est une succession de couleurs ou de tons parfaitement ordonnés.

10. — Deux couleurs complémentaires d'égales valeurs (par exemple pourpre et vert) ne peuvent s'harmoniser. L'harmonisation aura lieu avec deux complémentaires de valeurs inégales ou deux complémentaires atténuées en valeur et en couleur.

11. — Dans l'harmonisation des couleurs par les gammes, il y a toujours une couleur dominante. Cette dominante peut être froide ou chaude. La plus représentative des couleurs froides est le bleu; la plus caractéristique des couleurs chaudes est le rouge.

12. — Dans une harmonisation de couleurs parfaitement consonante, c'est-à-dire d'une même gamme froide ou chaude, il faut la présence d'une ou de plusieurs notes dissonantes qui, par contraste, exalteront la gamme prédominante.